La vie et les misères
d'un médecin de campagne

Données de catalogage avant publication (Canada)

Rioux, Lionel, 1916-

    Un médecin de campagne se raconte

    Autobiographie.

    ISBN 2-89089-689-7

    1. Rioux, Lionel, 1916-   . 2. Médecine rurale - Québec (Province) - Gaspésie. 3. Médecins - Québec (Province) - Gaspésie - Biographies. I. Titre.

R464,R56A3 1995   610'.92   C94-941558-8

LES ÉDITIONS QUEBECOR
7, chemin Bates
Bureau 100
Outremont (Québec)
H2V 1A6
Tél.: (514) 270-1746

© 1995 Les Éditions Quebecor
Dépôt légal, 1er trimestre 1995

Bibliothèque nationale du Québec
Bibliothèque nationale du Canada
ISBN: 2-89089-689-7

Éditeur: Jacques Simard
Coordonnatrice à la production: Dianne Rioux
Conception de la page couverture: Bernard Langlois
Révision: Sylvie Massariol
Correction d'épreuves: Francine St-Jean
Infographie: Composition Monika, Québec
Impression: Imprimerie L'Éclaireur

La vie et les misères d'un médecin de campagne

Récit recueilli et écrit par
Maurice Joncas

LIONEL RIOUX, M.D.

Les Éditions Québecor

Table des matières

Remerciements

À *Fernande Giffard-Brochet*, qui a donné l'élan premier et nécessaire à ce récit de vie, en déchiffrant les textes manuscrits et les feuilles volantes du docteur Lionel Rioux, puis en les dactylographiant en ordre. Merci, Fernande, pour ce long travail de patience.

À *Pauline Blanchette*, pour les notes complémentaires de dernière heure si bien ordonnées.

À *Jacques Plourde*, pour ses commentaires fort judicieux sur la vie et l'œuvre du docteur Rioux, un de ses pairs et amis.

À *Hubert Briard*, pour son soutien et ses documents historiques.

À *Nicole Nicolas*, pour la dactylographie d'une partie du manuscrit.

À *Béatrice Couillard-Laflamme et Marie-Rose Tapp-Paradis, de Rivière-au-Renard*, pour leur témoignage et leurs renseignements personnels.

Votre aide me fut très précieuse dans la rédaction de ces pages de vie.

Maurice Joncas

Tantôt le soleil vif dessinait les croix des carreaux sur les rideaux blancs de la fenêtre...

Je lus ces lignes qui m'expliquèrent tant de choses et dont voici la copie très exacte...

Alain Fournier, *Le Grand Meaulnes*

Note du rédacteur

Nous rencontrons parfois, sur les routes de notre vie, des personnages qui nous laissent dans le cœur un souvenir inoubliable. Le docteur Lionel Rioux fait partie de cette cohorte de médecins infatigables, qui ont œuvré en Gaspésie. Leur travail ne s'effectua pas toujours dans des conditions faciles. Par leur acharnement à soigner, à guérir ou à soulager la souffrance et la maladie, ils ont inscrit à jamais leur nom et leur renommée dans notre histoire régionale. Ce constat est particulièrement vrai pour les différentes portions qui forment le territoire gaspésien. Les gens de la région de Rivière-au-Renard et des environs en savent quelque chose.

Dans un article de la revue *Le Relais des arts*, publiée par le comité de développement culturel de Rivière-au-Renard et concernant son œuvre, le docteur Rioux précise : « [...] Je laisse à d'autres l'historique de Rivière-au-Renard. Cependant, je tiens à souligner que c'est au singulier que Rivière-au-Renard s'écrit, c'est la traduction de Fox River, d'après le Canton Fox et le gouverneur Fox, avec la domination anglaise vers 1767. »

Lors de notre rencontre, au mois d'août 1992, à ma maison de l'Anse-aux-Cousins, le docteur

Rioux m'a remis un dossier assez volumineux contenant ses écrits et ses notes personnelles, des souvenirs plein le cœur et la tête. Il est toujours habité de ses rêves, mais surtout d'une touchante envie de les faire partager à tous ceux et celles qu'il a côtoyés, soignés et guéris, durant sa vie professionnelle de médecin de campagne, à Rivière-au-Renard.

Au cours de notre dialogue, je me rappelai que, jeune garçon, ma mère m'avait conduit à son cabinet de consultation, situé dans la résidence de son père, «le vieux docteur Rioux», une grande maison carrée, sise aux pieds de la montagne et qui regardait fièrement la vaste étendue de la mer, à perte de vue... Je me rappelle que j'avais un mal de dent atroce... J'étais loin de penser qu'environ quarante ans plus tard, je le retrouverais chez moi pour accueillir ses dires et ses souvenances...

La Gaspésie, on le sait, ne s'est pas bâtie toute seule. Il en a fallu des êtres humains au courage et au travail inlassable pour défricher la terre, sonder les abîmes maritimes, y soutirer leur gagne-pain, soigner et guérir les cœurs et les corps. Le docteur Lionel Rioux, ainsi que tous les médecins qui l'ont précédé, font partie de ces personnages originaux et remplis de vaillance, qui ont façonné le visage de la Gaspésie. À leur manière, ils ont laissé, dans le cœur des habitants de la région, une image impérissable. Ils ont marqué profondément l'âme de tous ces gens, attachés affectueusement à ce roc péninsulaire, au point de vouloir y vivre, y aimer et y mourir...

C'est avec beaucoup d'attention que j'ai feuilleté les pages manuscrites du docteur Lionel Rioux. Ce faisant, j'ai nettement eu l'impression que je m'apprêtais à collaborer à une œuvre touchante, pleine de vérité, de travail acharné, d'attachement aux terres de la Gaspésie... Bâtir l'histoire, ce n'est pas autre chose que d'accomplir de simples gestes quotidiens, en mettant l'amour des siens et de son pays au premier plan de ses priorités de vie...

Le docteur Lionel Rioux, à l'image de ses prédécesseurs, l'a fait avec tant de tendresse, durant toutes ces années! Mon rôle n'aura consisté qu'à vous rapporter l'histoire de sa vie, de ses activités médicales et de sa mémoire vivante.

À sa manière, il entre lentement dans la légende...

Maurice Joncas
Anse-aux-Cousins
Gaspésie

LE RÉDACTEUR

 Maurice Joncas est un éducateur gaspésien de carrière qui partage maintenant ses loisirs entre la peinture, le théâtre et l'écriture. Il possède déjà plusieurs publications à son actif: la monographie *Saint-Maurice de l'Échourie, 70 ans d'histoire*, un recueil de poésie *D'or... de sang... de bronze*, et *Images et mirages*, une suite d'écrits et de récits gaspésiens, de même qu'une série de *Chroniques d'enfance*, un ouvrage en préparation. En 1988, il a reçu le prix Mérite culturel gaspésien, décerné par la Société historique de la Gaspésie pour son apport exceptionnel au développement culturel de la Gaspésie.

Avant-propos

> *S'il est possible de trouver quelque moyen qui rende communément les hommes plus sages et plus habiles qu'ils n'ont été jusqu'ici, je crois que c'est dans la médecine qu'on doit les chercher...*
>
> Deschamps

Raconter sa vie et ses activités dans les pages d'un livre n'est pas un fait unique. Beaucoup d'autres ont réalisé cela avant moi. Mais, quand cette histoire revêt un caractère précis et une coloration originale, elle devient plus attirante pour des lecteurs éventuels.

C'est avec beaucoup d'affection et de tendresse pour mon coin de pays, pour ses habitants si chaleureux et si hospitaliers, que je fais le rappel de tous ces souvenirs émouvants glanés au fil de ma mémoire. Ma vie médicale fut tellement remplie d'anecdotes de toutes sortes qu'en rappeler le souvenir, c'est un peu, en paraphrasant Gilles Vigneault, le poète de la Côte-Nord, vous dire que la médecine que j'ai pratiquée en ce coin de terre de la Gaspésie, ce ne fut pas une médecine ordinaire : elle a épousé le visage de ce pays

17

maritime, avec ses hivers rigoureux, ses printemps tardifs, ses étés si chaleureux et ses automnes multicolores, dignes de la palette de l'artiste le plus fécond.

Ce n'est pas seulement mon histoire que je vous rapporte. C'est celle de la plupart des médecins qui ont travaillé le long des côtes du littoral de la Gaspésie. Elle est à l'image de ces hommes ordinaires qui n'ont pas tout fait, cela va de soi, mais qui ont accompli des choses extraordinaires, en parcourant ce vaste territoire comme médecins de campagne ou de famille. Quelle belle histoire ils auraient pu raconter s'ils en avaient eu le loisir et la possibilité! Malheureusement, ils sont morts dans l'ombre. Aujourd'hui, ce rappel de mes passages de vie se veut un valeureux hommage à leur mémoire. Ce que je rapporte et écris, c'est en leur nom que je le fais. Ils ont eu une vie si remplie et si extraordinaire!

Ils furent nombreux, ces médecins, à œuvrer sur la côte, dont les docteurs D'Argy, Rollard, McNally, Gingerman, Dilan et Cotnoir. D'ailleurs, c'est la vie et l'œuvre de ce dernier que mon confrère Jacques Ferron, médecin et écrivain québécois réputé, devait écrire plus tard. Parfois, pour «aller aux malades», ils partaient parcourir les paroisses pour ne revenir que quelques jours plus tard. Le cheval du docteur D'Argy connaissait si bien le chemin du retour qu'il le ramenait sain et sauf lorsque celui-ci s'était endormi, vaincu par la fatigue ou par les nombreuses rasades de gin ou de whisky offertes par les habitants qu'il avait visités. Beaucoup d'autres noms de médecins valeureux me viennent en mémoire. J'ai eu la chance de les rencontrer ou de les connaître par l'entremise de mon père : les docteurs Pouliot, Allard, Dontigny, Pelletier, Minville, Quenneville, Rioux, Roy, Fortier, de même que les docteurs Lepage et Simard, sans oublier les docteurs Lizotte et Martin qui profitent actuellement d'une retraite bien méritée, ainsi que tous les autres dont le visage s'estompe déjà...

Quels souvenirs mémorables et uniques ces médecins nous ont laissés ! Tous ont pratiqué la médecine en « région éloignée », presque toujours au même endroit : Gaspé, Cap-d'Espoir, Chandler, Maria, Sainte-Anne-des-Monts, Madeleine... Inutile d'ajouter qu'ils ont profondément marqué la vie de ces populations rurales. Loins de tout, alors que les moyens de communication étaient pratiquement inexistants, ils ont exercé leur art en acceptant, à n'en pas douter, un parcours de vie rempli de sacrifices et de difficultés. Jamais ils n'ont parlé de regrets, parce que, malgré tout, ils étaient heureux. Leur vie médicale fut tellement remplie de faits extraordinaires ! Malheureusement, aujourd'hui, ce n'est guère facile de retracer le fil continu de ces vies fantastiques. Un grand vide couvre cette période de l'histoire médicale gaspésienne, à un point tel qu'il sera difficile aux générations à venir de se souvenir de ces prédécesseurs-médecins, de ces bâtisseurs entrés dans notre mémoire collective, les mains pleines de tant de souffrance soulagée, de maladies vaincues, de vies à mettre au monde.

Ce sont cinquante ans et plus d'histoire médicale qui sont presque tombés dans l'oubli. Comment ces médecins se débrouillaient-ils avec leurs propres moyens, devant d'incroyables situations difficiles et inattendues? On ne le saura jamais.

* *
*

En médecine, comme dans la profession médicale en général, la dimension humaine doit dominer. C'est pourquoi j'aime parler de vocation. Est-ce vraiment passé de mode d'affirmer que vouloir pratiquer une médecine à visage humain est une vocation? Est-ce que le fait de laisser de côté les conditions un peu trop «matérialistes» de la pratique médicale au profit d'une médecine humaine et compréhensive est une velléité trop déplacée? Aujourd'hui, au cours de rencontres occasionnelles avec des anciens patients, quelle gratitude, quel sentiment d'estime je ressens quand je recueille leurs témoignages réconfortants, remplis des souvenirs inoubliables «du bon vieux temps», et qui me rappellent que je les ai «mis au monde», selon leur expression.

La médecine a perdu ce visage humain que lui conférait le médecin de campagne. Ce n'est plus une médecine «d'apostolat», il va sans dire. La société évolue, le progrès fait de grandes enjambées, le troisième millénaire est à nos portes. Tout est matérialisme, de plus en plus. La médecine est devenue scientifique, informatisée, et ses diagnostics sont de plus en plus froids.

Ce n'est pas par des offres financières que la médecine peut répondre aux besoins d'une population «éloignée», mais en persuadant ceux et celles qui sont prédisposés à exercer ce genre de pratique médicale du bien-fondé de leur choix. C'est précisément ce que j'appelle, aujourd'hui encore, avoir la vocation.

Depuis la mise sur pied de la Régie de l'assurance maladie du Québec, la médecine dite de campagne, on le comprend bien, ne peut plus s'exercer telle qu'elle se pratiquait, il n'y a pas si longtemps encore, en Gaspésie et ailleurs au Québec. Graduellement, on a vu disparaître les médecins de campagne ou de village. À leur décès, il n'y avait presque pas de relève possible ou prévue pour doter ces régions des soins médicaux adéquats. Parmi les irréductibles, quelques-uns restaient encore actifs, mais ils ne furent pas tellement consultés avant la mise en place de cet organisme gouvernemental. Ce dernier est venu tout réglementer et restreindre, d'une certaine manière, les activités médicales du «docteur de village et de famille». Ce qui était autrefois une *vocation* est devenue une *fonction*, avec des règlements stricts, de nombreux papiers et formulaires à remplir. Aujourd'hui, on a la nette impression que, dans tout ce « fonctionnalisme médical », non seulement on ne retrouve plus les êtres humains à soigner et à guérir mais, bien souvent, c'est là qu'on les perd...

Je considère comme capitale la formation universitaire des futurs médecins. Il faut absolument que nous trouvions une solution à la relève et à la pratique de la médecine en région éloignée même si, aujourd'hui, elle n'a plus la même approche.

Pourquoi cette formation ne se ferait-elle pas sur une base encourageante pour les jeunes médecins de la relève qui veulent s'établir en campagne et y exercer une médecine désencadrée, plus humaine et plus proche du cœur des personnes qui souffrent? Pourquoi aussi les autorités, tant médicales qu'universitaires, n'ont-elles pas, depuis plusieurs années, mis sur pied un cours de formation médicale différent des autres cours universitaires pour tous les futurs médecins se destinant à la pratique générale, tant en campagne qu'en régions éloignées? Ce cours de médecine spéciale aurait pu englober les champs d'activités requis par les besoins des régions rurales et éloignées, et ce, dans les différentes sphères de la médecine.

On dit que pour atteindre des objectifs commerciaux ou d'affaires, il faut savoir se servir amplement de tous le moyens de communication mis à notre disposition: conférences, publications, presse, radio, télévision, vidéo. Ce qui s'avère profitable dans ces secteurs peut l'être aussi si le but à atteindre, surtout pour les régions éloignées, concerne la pratique médicale.

Enfin, le but visé par ce rappel de vie est de démontrer à quel point la médecine est une profession noble, en retrait des autres et humaine avant tout. Aujourd'hui, si elle dépend de plus en plus de techniques sophistiquées, avec toutes les nouvelles recherches et les découvertes récentes, autant médicales que pharmaceutiques, elle ne doit pas pour autant sombrer dans le matérialisme moderne et devenir une « machine à guérir ». À ce propos, la journaliste Denise Bombardier et le docteur Claude Saint-Laurent écrivaient dans leur volume paru aux éditions Robert Laffont, en 1989, et intitulé *Le Mal de l'âme* :

> *De quelque côté qu'on la regarde, la médecine officielle a le visage dur... Pour s'en convaincre, il suffit à quiconque de s'imposer la lecture du chapitre consacré aux blessures dans un manuel de médecine. Pas d'apitoiement, pas de mention des émois, des larmes, de l'agitation, de la peur, de la surprise ou du dégoût.*

> *[...] Car cette médecine « sans cœur » est aussi la moins fixée dans ses habitudes, la moins respectueuse des traditions anciennes et vulnérables et la moins complaisante dans ses rituels.*

Encore maintenant, le patient, à la condition grave et parfois sans rémission, espère toujours trouver, dans les yeux et les gestes de son médecin traitant, ce petit brin d'humanité dont son cœur a besoin. C'est là un des visages de l'amour, une condition indispensable à une médecine pratiquée à cœur ouvert.

Chapitre I

Les origines de ma vocation

> *[...] dans ce pays-ci, vous êtes trop loin... l'été est trop court; le grain n'a pas eu le temps de pousser que déjà les froids arrivent... Quand je vois les petites maisons de planches perdues dans le pays, si loin les unes des autres et qui ont l'air d'avoir peur... je me sens tout découragé... j'en suis à me demander comment ça se fait que tous les gens «d'icitte» ne sont pas partis voilà longtemps pour s'en aller dans des places moins dures où on trouve tout ce qu'il faut pour faire une belle vie et où on peut sortir l'hiver et aller se promener sans avoir peur de mourir...*
>
> Louis Hémon, *Maria Chapdeleine*

L'oeuvre de mon père

Vouloir revivre et illustrer une époque révolue n'est guère facile. Il faut se mettre en situation et dans un état d'âme propice à un tel rappel, oublier ou plutôt mettre de côté, le temps d'une lecture, l'époque qu'on est en train de vivre, avec tous les bouleversements majeurs qu'elle peut comporter. Ainsi en est-il de ce voyage en mémoire, de cette chronique de vie médicale que je veux vous faire partager, une relation de faits médicaux dépassés et presque oubliés aujourd'hui.

Le parcours de vie édifiant, les activités sans relâche des médecins de la vieille génération ont été parsemés de dévouement sans bornes, de compétence, de débrouillardise, de sacrifices de leur propre vie sociale, artistique et même familiale, dans des situations et des conditions de vie très difficiles.

À ce sujet, je me dois de rendre un hommage bien particulier et émouvant à mon père, le docteur Eugène Rioux. Ses débuts de pratique médicale se firent en Abitibi, pendant la guerre 1914-1918, dans une région peu développée. Il se rendait, entre autres, visiter ses malades en canot sur les lacs et les rivières ou en motocar, sur la ligne du chemin de fer Canadian National Railways du Grand Nord, pour y soigner les Indiens. À partir du grand krach financier des années trente, il choisit d'exercer sa médecine à Rivière-au-Renard. À ce moment-là, de Gaspé à Sainte-Anne-des-Monts, les médecins établis le long du littoral pour y demeurer étaient rares.

J'ai été témoin de la vie difficile de mon père, une vie inhumaine dans certains cas, comme le fut la mienne au début de ma pratique médicale. Bien sûr, ma vie fut beaucoup moins pénible que celle de mon père, mais elle fut quand même assez dure, dans certains cas. Dans bien des circonstances, lui et moi avons travaillé dans des conditions pitoyables : la voiture à cheval durant les nuits d'hiver, souvent renversée dans des chemins non praticables, le retour à la maison, gelés jusqu'aux os, parfois sans avoir pu manger le moindre morceau de pain. Comme il était réconfortant pour nous de retrouver, à notre retour, un bon feu, un repas soutenant et la maisonnée qui nous attendait patiemment! Comme il faisait chaud au cœur de sentir ce chaleureux accueil!

À l'exemple de mon père, j'ai tout donné, tout sacrifié, même mes loisirs et mes vacances, pour me consacrer uniquement à ma médecine, à mes patients et patientes, aux nombreux accouchements et visites aux malades effectués durant ma vie professionnelle. Je me suis oublié, ne refusant rien à personne, même lorsque je savais que je ne serais pas rémunéré. Il me fallait toujours être disponible. Je ne pouvais pas compter sur qui que ce soit pour me remplacer. Personne n'aurait accepté d'accomplir une tâche aussi exigeante. La vocation médicale, dans mon cas comme dans celui de mon paternel, ce fut tout ça et beaucoup plus encore.

Eugène Rioux, mon père, décéda à un âge relativement jeune: cinquante-six ans. Il fut emporté par un œdème aigu du poumon. On ne put réussir à le secourir ni à le soigner adéquatement. Peut-être aurait-on pu lui sauver la vie si le médecin appelé à son chevet était arrivé à temps? Aujourd'hui, quand je repense à ses derniers jours, je me rends bien compte que le manque de sommeil a abrégé sa vie. Il ne dormait presque pas durant des semaines consécutives. Pourtant, même s'il était reconnu comme un bourreau de travail, il jouissait d'une très bonne santé.

Qui n'a pas, un jour ou l'autre, déploré la perte de son médecin de famille, surtout s'il en a soigné tous les membres, mis les enfants au monde, secouru et assisté les plus vieux et les malades, avant leur «grand départ»? En ce qui me concerne, je ne pourrai jamais oublier les funérailles de cet homme extraordinaire que fut mon père. Elles eurent lieu le 8 octobre 1946. Une charrette à quatre roues, tirée par un cheval, porta sa dépouille à l'église, par un temps gris et pluvieux. Que de fois il avait utilisé ce moyen de transport pour se rendre au chevet de ses malades et des femmes en couches! Une simple croix de bois noir précédait le lent cortège funèbre. Ce fut simple et touchant, à l'image de cet homme extraordinaire.

Il va de soi que son influence sur mon orientation professionnelle fut prépondérante. Déjà très jeune, j'avais décidé de devenir médecin à mon tour, pour venir le rejoindre, le seconder et prendre sa relève un jour. Nous avions même discuté ensemble de construire et de diriger une clinique médicale à Rivière-au-Renard. Son décès prématuré modifia quelque peu ma décision et mes plans de carrière. Je n'étais, à l'époque, pas encore reçu médecin.

Mes études universitaires

À vingt-cinq ans, j'entrepris donc mes études en médecine, à l'Université Laval de Québec. Mon père, lui, était déjà reçu médecin à cet âge. Je n'avais pu faire mon doctorat à la sortie de mes études classiques pour diverses raisons, mais surtout à cause de problèmes financiers. Nous étions alors au plus fort de la crise économique et en temps de guerre. Payer mes études était devenu très difficile pour mon père. J'ai toujours eu l'impression qu'il se saignait à blanc quand il me signait un chèque de vingt-cinq dollars. À titre d'exemple, le prix demandé pour un accouchement à cette époque était fixé à huit dollars... à condition que les gens puissent payer. Mais plus souvent qu'autrement, les gens payaient avec des billots, du bois de corde ou de sciage, sans oublier les pommes de terre, les légumes, la morue sèche. Aussi loin que je me souvienne, mon père manquait souvent d'argent. La médecine ne l'a pas enrichi, loin de là.

À plusieurs reprises, il n'arrivait plus à voir ou à revoir des patients atteints d'une maladie grave, tellement il était débordé de travail. Pendant mes vacances, surtout en hiver, j'allais souvent les visiter à sa place, en ski ou en raquettes, dans les tempêtes, et je revenais à la maison avec des renseignements très précieux pour mon père. Il m'est arrivé, à plusieurs reprises, de l'assister chez ses patients, même pour certains accouchements.

Pour gagner quelque argent, au cours des vacances, j'ai accompli toutes sortes de travaux: pêche, vente de poisson, cueillette de bleuets pour les revendre, notamment. Pas question de loisirs à cette époque. À l'occasion, mon père me chargeait de parcourir le territoire qu'il desservait, pour tenter de «collecter» ses comptes en souffrance. Quelle expérience extraordinaire de vie ce fut pour moi de constater toute cette misère omniprésente et toute cette pauvreté qui sévissaient alors! Durant mes vacances estivales, j'ai aussi travaillé, à quelques reprises, pour l'Unité sanitaire, l'organisme de santé communautaire du temps, qui procédait au dépistage et à la vaccination de la population, surtout les jeunes d'âge scolaire, en vue de prévenir les épidémies.

Mais ce fut mon enrôlement dans le B.O.T.C. (Basic Officer Training Course ou Cours de première réserve) qui a peut-être sauvé ma carrière et mes études médicales. Tous les mois, je recevais mon chèque de paye. Étant donné que le système de prêts et bourses du ministère de l'Éducation n'existait pas encore, ce petit salaire mensuel assuré me permit de payer mes études.

* *
*

Au cours de l'année 1945, la Deuxième Guerre mondiale prit fin, après avoir laissé des millions de morts sur les champs de bataille. D'ailleurs, plusieurs Gaspésiens y avaient perdu la vie. Commencèrent alors les années d'après-guerre et, avec elles, le manque flagrant de médecins, surtout en régions éloignées. La situation était plus que déplorable. Pendant mes vacances de l'été 1946, alors que j'étais en quatrième année de médecine, je fus dans l'obligation d'accepter les responsabilités médicales du docteur Camille-Eugène Pouliot, à Cap-d'Espoir, et de le remplacer temporairement à son poste durant sa campagne électorale, qui lui prenait la majorité de son temps. Par la suite, il fut élu député et nommé ministre des Pêcheries par le premier ministre Maurice Duplessis, chef de l'Union nationale.

Un jour, on me demanda de me rendre accoucher une patiente qui en était à son premier enfant. J'en étais, moi aussi, à mon premier accouchement... La patiente résidait à Saint-Isidore, un petit village de colons de l'époque, situé dans le deuxième rang de Cap-d'Espoir. Il n'était pas possible alors de rejoindre un médecin entre Gaspé, Grande-Rivière et Chandler. J'étais donc la seule personne-ressource sur qui ces gens pouvaient compter.

Je me rendis donc à ce domicile et j'affrontai les dangers et les risques de cet accouchement en marche. Je ne connaissais rien de cette femme. N'ayant pas suivi cette patiente, je ne pouvais prévoir toutes les situations possibles d'un tel accouchement, tant dans la présentation, la césarienne possible et surtout les hémorragies. C'était une humble demeure de gens simples et pauvres ; mais dès mon arrivée, je pus constater comme ils étaient heureux et remplis d'espoir par la venue de ce premier enfant. C'est ainsi que nos belles familles québécoises se sont formées, que nous avons, en quelque sorte, assuré notre survivance.

Il me fallut monter au deuxième plancher par une sorte d'escalier, ou plutôt une échelle pour rejoindre la future mère. En arrivant à l'étage, non sans surprise, j'aperçus des fentes partout entre les planches du plancher. La mère du mari m'attendait en tenant la lampe à l'huile dans sa main. Elle avait sûrement dû préparer des naissances ou assister antérieurement à des accouchements puisqu'elle avait mis en place un piqué très propre, un plateau et un pot d'eau avec les linges nécessaires. On déposa la lampe à l'huile sur le plancher, pour éviter tout risque d'incendie, mais l'éclairage n'était pas suffisant. Je fus passablement chanceux de pouvoir accoucher dans de telles conditions une patiente dont c'était le premier enfant. Mes expériences médicales postérieures m'apprirent que nous ne sommes pas toujours placés devant des cas où le bébé se présente normalement ou que les eaux sont rupturées.

Il faut avoir été témoin, en ces temps-là, de la joie manifestée par les parents, à la naissance de leur enfant, pour comprendre quel sentiment de fierté luisait dans leur regard, à ce moment précis et important de leur vie. Invariablement, comme mon expérience médicale future devait me le démontrer, la première question que la mère me posait était la suivante: «Mon bébé est-il normal?» J'étais aussi fier et content que les parents. Participer à cette joie et à ce respect pour la vie humaine constituait souvent mon unique paiement.

Autant j'ai pu acquérir une expérience enrichissante en accompagnant mon père dans ses déplacements auprès de ses patients et de ses malades atteints de maladies graves, autant j'ai pu enrichir mes connaissances médicales avec le docteur Pouliot. Un jour, dans un cas d'obstétrique appelé «môle hydatiforme» (dégénérescence de l'embryon qui devient une masse informe, consistant en un simple sac cutané, sans organes distincts), j'ai appris à contrôler une hémorragie. Grâce à l'intervention, aux connaissances et à l'expérience de ce médecin qui vint à ma rescousse, nous avons pu provoquer une fausse couche et ainsi éviter à la patiente une hémorragie mortelle. Nous lui avons sauvé la vie. Une chose est certaine : on ne peut apprendre à vivre de pareilles expériences à l'université ou dans les hôpitaux, car il s'agit là de « secrets » transmis par l'expérience si riche des médecins œuvrant sur le terrain. Grâce à ces cas uniques, j'ai pu emmagasiner une foule de connaissances qui me servirent plus tard. Aujourd'hui, à la lumière de ce vécu médical extraordinaire, j'ose suggérer aux jeunes médecins, avant de s'établir définitivement à un endroit précis, de faire un stage dans le cabinet d'un médecin dont l'expérience en médecine générale n'est plus à faire.

Par ailleurs, je dois avouer que ce ne fut pas une mince tâche que de me rendre jusqu'au doctorat. Combien de sorties, de distractions j'ai dû sacrifier afin d'étudier et de réussir mes examens! Me considérant comme un étudiant normalement doué, je dois avouer que la mémoire ne constituait pas mon point fort à cet âge. Dès lors, ce fut en obstétrique et en gynécologie que j'orientai mes études médicales, non pour en faire une spécialité médicale, mais surtout pour en apprendre davantage. Je devinais combien ces connaissances me seraient précieuses plus tard. J'ai donc effectué une grande partie de mes stages médicaux à la crèche Saint-Vincent-de-Paul, à Québec. Puis vint le moment des examens oraux de doctorat, une période que je redoutais particulièrement. Quand je me suis présenté devant les examinateurs en anatomopathologie et en biologie, les docteurs Potvin et Berger. Ceux-ci me déclarèrent, en guise de résultat : « Nous ne pouvons vous accorder le pourcentage requis. Cependant, nous nous sommes mis d'accord pour vous accepter quand même, car nous croyons que vous avez tous les atouts en main pour devenir un bon médecin de campagne, tel que vous le désirez... »

Il va sans dire que ces médecins-examinateurs me connaissaient très bien, car ils gardaient de nombreux liens avec les étudiants, même une fois leurs cours terminés. De telles décisions devenaient possibles par une sorte de déduction psychologique de leur part. Je terminai mes études médicales et, un an et demi après le décès de mon père, j'obtins enfin mon diplôme de doctorat en médecine générale. J'étais enfin reçu médecin. Quelle joie ce fut pour moi ! Après toutes les difficultés que j'avais dû surmonter et les contraintes subies, je franchissais une étape importante de ma vie.

Cette réussite, qui comblait mes espérances de carrière, a été rendue possible en partie grâce à ces médecins-professeurs. Ils ont toujours su reconnaître la part qu'il fallait laisser à l'humain, au milieu de l'acquisition des nombreuses connaissances médicales qu'exige la formation universitaire d'un candidat en médecine. Par leur action, leur immense savoir et leur jugement sûr, ils ont permis à plus d'une carrière médicale de voir le jour.

Quelque temps avant la fin de mes études médicales, le docteur Fabien Roy, spécialiste en obstétrique et en gynécologie, m'offrit de devenir son assistant à Québec. Ce poste m'ouvrait les portes d'un avenir prometteur en milieu urbain. Pourtant, je refusai son offre : j'avais d'ores et déjà décidé d'appliquer mes connaissances médicales en Gaspésie. Même après avoir connu les conditions, les exigences, le dévouement et l'esprit de sacrifice dont mon père avait dû faire preuve pour pratiquer la médecine en milieu rural, je désirais quand même prendre sa relève. Je dois avouer que j'entrevoyais ma profession comme une mission, une vocation, un idéal à atteindre. Mon but était fort simple : exercer une médecine la plus humaine possible. Voilà comment j'envisageais ma pratique médicale sur ce territoire, avec une population dispersée le long de la côte gaspésienne, sur de longues distances, avec parfois des routes impraticables et des conditions atmosphériques difficiles.

J'étais habité probablement par les mêmes sentiments qu'avaient dû ressentir mes prédécesseurs : pratiquer la médecine rurale, en Gaspésie, c'était accepter d'être isolé et disponible jour et nuit. Bien humblement, au cours de toutes ces années, je suis demeuré au service de mes compatriotes le plus fidèlement possible. Je laisse le soin à l'histoire de la Gaspésie de juger mon œuvre et ma carrière médicale.

Chapitre II

Les débuts de ma carrière

Il ne t'est
jamais donné un désir
sans que te soit donné
le pouvoir de le rendre réalité.

Tu peux
être obligé néanmoins
de peiner
pour cela...

Richard Bach, *Illusions*

L'installation à Rivière-au-Renard

Quand il s'agit de raconter son coin de pays, c'est un peu comme si on ouvrait toutes grandes les pages d'un précieux livre d'histoire, pour y puiser à pleines mains la nature et les beautés qui s'y rattachent.

En Gaspésie, la nature est généreuse à profusion. Tout le long de cette péninsule, les petits villages côtiers s'échelonnant étalent leur beauté. Et que dire de leurs habitants? Leur seul horizon est et demeurera sans aucun doute l'immensité bleue de la mer, à perte de vue. Par sa patience séculaire, celle-ci a sculpté les hautes falaises, les rochers abrupts, coupés de vallons verdoyants et de forêts sombres. Au début de ma pratique médicale, je me souviens d'avoir écrit un petit texte de réflexion, du haut d'un des nombreux caps disséminés le long de la côte, en regardant la mer qui étalait ses splendeurs devant moi : « Je suis seul au sommet de la falaise... Mon regard se porte sur cette mer immense et agitée... Ses vagues roulent, majestueuses et, en s'amplifiant, viennent se heurter contre les rochers escarpés, puis, fatiguées, s'évanouissent en ressac, avalées par les autres vagues à sa suite... »

La plupart des premiers habitants de ces différents villages de pêcheurs côtiers vinrent en Gaspésie à bord de frêles barques, à la recherche de fonds de pêche propices. Ils y fondèrent autant d'établissements et d'agglomérations maritimes. Quel esprit d'aventure ces premiers colonisateurs devaient avoir ancré au fond du cœur pour ainsi risquer leur vie, à travers tempêtes et périls de toutes sortes !

Le village de Rivière-au-Renard, où je m'apprêtais à prendre la relève du cabinet médical de mon père, comptait parmi ces paroisses à vocation maritime. À cette époque, c'était un peu comme le chef-lieu des localités avoisinantes. En ce qui me concernait, revenir œuvrer dans ce coin de terre que j'aimais beaucoup, c'était accepter au départ de vivre dans un pays de forts contrastes, un pays où le bonheur consistait en des choses et des faits simples de la vie quotidienne. Dès mon enfance, d'ailleurs, j'avais appris que ce pays reflétait la douceur de vivre, sans trop s'inquiéter du lendemain, même si la pêche ne rapportait pas toujours la manne espérée.

Vivre en ce pays, c'était aussi en voir l'inoubliable beauté à chaque saison immaculée, chaleureuse ou couverte de givre, offrant au passant ébahi une palette de sensations et d'impressions inoubliables. Les habitants, des marins de race, des travailleurs forestiers qu'il me serait donné de rencontrer au cours de toutes ces années de pratique médicale, étaient tous chaleureux.

Rivière-au-Renard, c'était tout ça. Entouré de montagnes sombres, il se blottissait face à la mer et aux grèves semées d'épaves marines. Que de fois j'ai pu admirer la lumière de l'aurore et du crépuscule, la beauté des larges horizons, des clairs de lune et l'inimaginable gamme des couchers de soleil. À cette nature altière et comblée ainsi qu'à la beauté farouche et indomptée qui s'offraient ainsi au voyageur parcourant la Gaspésie pour la première fois, s'ajoutait l'hospitalité légendaire et particulière des Gaspésiens, leur langage imagé et leur façon bien typique de « piquer une jase » avec le touriste, en revenant de la pêche. À travers ce grand coup de cœur, cette façon d'être si naïve, l'étranger demeurait éberlué en s'apercevant qu'un petit, un tout petit coin de terre existait encore, intact, et non pollué par les relents de fumées d'usines et les bruits des villes.

Au milieu du village trônait l'église Saint-Martin, avec son allure de temple moderne et sa masse de pierres imposante. Les habitants du village, on le sentait bien, étaient fiers de leurs

origines et de leurs racines. Ils demeuraient cons-
cients du sens profond et du rôle joué par la
religion dans l'implantation du village. D'ailleurs,
au sommet de la montagne surplombant le village,
ils avaient fait ériger en chapelle une réplique de
la première église paroissiale, gardienne, en quelque sorte, du patrimoine religieux et du témoignage de foi des fondateurs du village. La chapelle
veillait sur ce décor réaliste, témoin des choses du
passé, des premiers habitants arrivés dans ce coin
de pays et du courage qu'ils durent mettre de
l'avant pour y bâtir leur maison et y élever leur
famille.

Je me rappelle qu'il faisait un temps doux en
cette matinée de fin septembre, ce jour mémorable, ancré dans mon esprit et mon cœur, où je
commençai officiellement ma pratique médicale de
médecin généraliste, dans cet attachant village qui
m'est si cher. La nature commençait à revêtir ses
parures de noces automnales, après avoir livré ses
trésors et sa manne de cultures agricoles et maraî-
chères. Il faisait tellement beau que, même repu
de fatigue, le village m'accueillait à bras ouverts.

Là, aux pieds de la montagne, entre la plaine
et la mer, je me rappelle avoir humé à pleins
poumons l'air du large, avant de pénétrer dans la
grande maison paternelle qui avait abrité mon
enfance, mes espoirs, mes peines et mes rêves de
famille. C'est avec le cœur rempli de tous ces
magnifiques souvenirs que, presque sur la pointe
des pieds, je poussai la porte du cabinet de pratique d'Eugène, mon père. À mon tour, comme en
un rituel inchangé, durant toutes ces années de

ma vie, je reprenais le collier pour tenter tant bien
que mal de soulager et de guérir la maladie et la
souffrance de mes concitoyens et concitoyennes
de la Gaspésie...

* *
*

Il est difficile d'imaginer ce que furent vraiment la vie et le travail des médecins de campagne. C'est en dressant l'inventaire du cabinet de
consultation médicale de mon père que je compris
le sens de plusieurs événements qui avaient par-
semé sa vie. Si je vous raconte ce que «sa vieille
valise» m'a appris et confié, c'est que, parmi ses
souvenirs, je retrouvais la relation des milliers
d'accouchements dont celle-ci fut le témoin, des
vies sauvées, des problèmes graves, solutionnés
grâce à son contenu.

Vous dresser l'historique de cette fameuse valise ou «trousse aux malades» du docteur Eugène
Rioux, c'est un peu... beaucoup... passionné-
ment... lui rendre un grand hommage. Cette
trousse, je devais la reprendre plus tard pour
visiter mes patients et patientes à domicile, autant
pour les accouchements que pour tout autre genre
de situations : accidents, urgences, opérations mi-
neures, etc. Tous les cas comportaient leur part
d'imprévu. La valise des docteurs Rioux m'a dé-
panné tant de fois! Ah! si elle avait eu le don de
parole, comme elle en aurait eu long à raconter!

C'est en Abitibi qu'elle a commencé son parcours durant les années quarante et c'est en Gas-

41

pésie, plus précisément à Rivière-au-Renard, qu'elle devait le terminer quelques décennies plus tard. Elle contenait le nécessaire pour faire face à toutes sortes d'imprévus. À des kilomètres de distance de l'hôpital, le médecin de campagne devait composer avec des cas d'extrême urgence. On pouvait donc retrouver dans la trousse des forceps, un masque et une bouteille de chloroforme, des pinces, des tampons, des rouleaux de bandages, des sondes vésicales, un bistouri, du *catgut* en cas d'épisiotomie (déchirure lors de l'accouchement), un cas médical moins fréquent qu'aujourd'hui, dû sans doute au fait que les naissances étaient plus nombreuses au sein d'une même famille...

De nos jours, lasse de tant de voyages et de nuits blanches, la valise des docteurs Rioux fait partie de l'histoire médicale de la région et est exposée au Musée historique de la Gaspésie.

* *
*

Je me suis donc établi à Rivière-au-Renard, bien décidé à poursuivre l'œuvre médicale de mon père. J'étais loin de me douter, à ce moment précis, que j'y demeurerais toutes mes années d'activités médicales et professionnelles.

Je n'étais pas encore marié lorsque je commençai ma carrière. Les gens du village et des alentours se sentaient un peu mal à l'aise de me demander d'accoucher leur femme à domicile. Toutefois, dans leur esprit, j'étais le fils du docteur

Rioux et j'étais revenu prendre sa relève, assurant ainsi une continuité médicale dans ce coin de la Gaspésie. Cela aida grandement à calmer les appréhensions des gens, bien légitimes pour l'époque.

Après avoir vécu deux mois francs de célibat dans cette grande maison, je décidai de me marier au plus tôt. Ma première femme, Gaby Marceau, était originaire de la région de l'Arthabaska, le pays de l'amiante. Au cours de ces années de notre engagement mutuel, elle a mis cinq enfants au monde.

Ce récit ne serait pas complet si je ne rendais pas un hommage bien particulier à toutes les épouses de médecins qui ont œuvré en médecine rurale à cette époque. Le rôle d'éduquer les enfants leur revenait pratiquement de fait, à cause des absences répétées de leur mari. Les repas préparés refroidissaient souvent, car elles ne pouvaient se fier à un horaire régulier pour le train-train quotidien. Elles devaient donc apprêter les repas à toutes heures du jour et de la nuit pour le retour du mari qui se faisait attendre souvent, et étaient obligées de chauffer le poêle la nuit durant. Le repas de Noël, en particulier, de même que ceux du jour de l'An et de Pâques se prenaient souvent en l'absence du père, retenu dans une autre demeure, pratiquement toujours pour un accouchement.

Elles ont été admirables, toutes ces femmes. Elles ont sacrifié les aspects sociaux et artistiques de leur vie personnelle, les vacances en compagnie du mari, pour se consacrer entièrement à la vie familiale, à l'éducation des enfants, de façon admirable, autant dans le domaine de la musique, que dans ceux de la lecture et des jeux de toutes sortes, car les enfants grandissaient parfois sans que le père ait le temps de le réaliser pleinement. Tout cela remplissait leur vie et leur quotidien. Combien de médecins ont pu mener à bien leur carrière médicale en milieu rural parce qu'ils ont pu compter sur la compréhension et la vaillance de femmes extraordinaires?

L'évolution de ma pratique médicale

La médecine rurale, telle qu'elle existait dans le passé, exigeait beaucoup de ses adorateurs: une habileté naturelle, doublée d'un gros bon sens, d'un esprit de débrouillardise bien développé et d'une excellente connaissance du milieu et de ses habitants. Contrairement à ce qui prévaut actuellement, face à toutes les nouvelles orientations que se sont données les nombreuses spécialités médicales, le médecin de campagne d'alors devait développer ses talents et ses connaissances afin de répondre aux besoins de la population du territoire dans des domaines qui englobaient plusieurs spécialités de la médecine. En plus, bien sûr, d'assumer sa pratique de base, en médecine générale.

Ajoutons que sa vie se rapprochait beaucoup de celle de ses concitoyens. En plus de participer à différentes activités, autant sociales que sportives, le médecin s'intéressait aussi à la vie paroissiale, municipale et scolaire. À cette époque, plusieurs organismes paroissiaux voyaient le jour,

44

comme les ligues de citoyens et les associations sportives. Quant à la politique provinciale et nationale, quelques médecins de campagne y tentèrent leur chance avec succès, entre autres les docteurs Pouliot et Fortier.

Il va de soi que l'on s'adressait à moi pour toutes sortes de maux, du simple mal de dent à la sinusite, en passant par les accidents divers tels que les blessures et les fractures subies à la maison ou au travail. Dans les cas les plus sévères, je procédais à l'hospitalisation ; il était rare qu'un patient se rendit directement à l'hôpital. Cette façon d'agir faisait partie de la mentalité des gens. Pour certains malades atteints gravement, comme les cas de cancer en phase terminale, la famille préférait les garder à domicile, afin qu'ils puissent mourir au milieu des leurs.

Le médecin, lui, devait savoir quoi dire et quoi faire dans ces cas incurables, mis à part quelques exceptions. Personnellement, je considérais qu'il était préférable de ne pas parler de cancer, mais plutôt d'anémie et de leur donner les calmants nécessaires pour soulager leurs souffrances. La visite régulière à la maison s'avérait alors essentielle. J'ai souvent soigné des malades dont les projets de vie étaient encore nombreux la veille ou peu de temps avant leur décès. Leur testament était toujours bien fait et homologué. Ils partaient en paix pour l'au-delà, avec le secours de la religion. J'ai assisté maintes fois à des scènes de ce genre. C'était fréquent dans la vie du médecin de campagne. Rivière-au-Renard et les régions avoisinantes n'y échappèrent pas...

On demandait aussi l'aide du médecin ou ses conseils pour résoudre un problème familial, une discorde entre voisins ou paroissiens, une rivalité entre les membres d'une famille, pour aider une fille-mère, pour régler certains drames psychosociaux, ou encore pour traiter des troubles de comportement, des cas de détresse affective, et j'en passe. Tout au long de ma pratique médicale, je fus appelé à arbitrer des conflits de tous genres.

Le médecin de village ou de paroisse faisait presque partie des meubles de chaque demeure. On était tellement habitué à le voir et à le rencontrer qu'on le considérait comme un membre de la famille. Souvent, on l'appelait même par son prénom. Avec le curé de la paroisse, il était présent à chaque événement d'importance. Je pense ici, entre autres, aux magnifiques célébrations du centenaire des paroisses de Rivière-au-Renard et de l'Anse-au-Griffon, auxquelles j'ai participé activement. Je me souviens, lors des grandes fêtes de l'Anse-au-Griffon, d'avoir rencontré et dansé avec une mère, sa fille et sa petite-fille, ainsi que les ravissantes petites jumelles de cette dernière. J'avais assisté à l'accouchement de plusieurs membres de ces générations. En somme, on associait le médecin à toutes les activités sociales familiales et sportives de même qu'aux naissances, aux mariages, aux fêtes intimes et pour toutes sortes d'autres occasions.

Par ailleurs, à l'époque où je commençai ma pratique médicale en Gaspésie, la fille-mère québécoise constituait un drame familial et social intense. Bien sûr, de tout temps, ces situations tragiques familiales avaient existé et de façon encore plus dramatique auparavant. Un grand nombre de filles-mères se rendaient à la crèche Saint-Vincent-de-Paul, à Québec. Là, on les accouchait et on prenait les mesures juridiques nécessaires pour faire adopter leur enfant. On leur déconseillait fortement de garder leur rejeton, que l'on considérait comme « bâtard et illégitime ». Une telle situation, on le comprend bien, n'a plus sa raison d'être aujourd'hui. D'ailleurs, je suis rempli d'admiration pour le mouvement Retrouvailles, dont la mission consiste à réunir les mères, les filles et les garçons naturels, après tant d'années de séparation, de peines et de déchirures affectives, alors que donner la vie est un moment qui doit être si épanouissant et prometteur pour des parents.

À plusieurs reprises, j'ai eu à intervenir dans de telles situations difficiles. Mes prises de position et mes conseils personnels aux familles impliquées ont grandement favorisé l'avenir de ces jeunes bébés, nés en dehors des liens du mariage, cela dit en toute humilité et en connaissance de cause. Disons d'abord que j'étais et que je demeure fortement opposé à toute forme d'avortement, sauf dans les cas qui requièrent une intervention médicale thérapeutique. Que de fois, à mes débuts de pratique et dans les années qui suivirent, de jeunes filles enceintes sont venues me raconter leur condition dramatique, avec des larmes désespérées. « Mon père va me jeter à la porte de la maison. Il ne faut pas que quelqu'un le sache. Qu'est-ce que monsieur le curé va dire ? Ah ! mon Dieu ! Quel scandale ! » me disait-on souvent en me réclamant l'avortement. Chaque fois,

j'étais sidéré de constater qu'un événement si épanouissant, vécu dans des conditions normales,
pouvait devenir si horrible lorsqu'il dépassait les
cadres des institutions sociales, familiales et ec-
clésiastiques.

Tant bien que mal, je réussissais, malgré tout,
à convaincre d'abord la mère que son rôle consistait à ne pas juger sa fille, mais bien à l'aider à
mener sa grossesse à terme, à garder et à élever
son enfant, malgré les préjugés non favorables de
l'époque. Dans certains cas, beaucoup de ces enfants, nés hors mariage, furent adoptés en région,
grâce à ma clinique de maternité. En d'autres
situations, mon intervention personnelle a pu favoriser bon nombre d'ententes entre les filles-
mères et leurs familles. Combien de ces jeunes
filles sont aujourd'hui fières de leur enfant et ne
regrettent aucunement leur décision? Quelques-
uns de ces jeunes élevés par leur mère biologique,
avec peine et misère et au prix de nombreux sacrifices, occupent aujourd'hui des postes importants
dans la société, que ce soit en politique, en affaires
ou en administration. Je suis fier de les avoir aidés
à se faire une place au soleil.

La clinique Saint-Martin a accueilli ainsi de
nombreuses filles-mères. Elle constituait, à cette
époque, une planche de salut pour un bon nombre
d'entre elles qui ne voulaient pas se rendre accoucher à l'hôpital et être ainsi reconnues par le
personnel soignant. Car, à l'époque, être fille-mère
était une honte et une dure épreuve pour la famille
et l'entourage. Pour éviter tout cela, ces jeunes
femmes étaient souvent contraintes de se rendre

habiter loin de leur famille, soit dans une pension étrangère ou chez une parente un peu plus compatissante, en attendant l'heure de l'accouchement. Cependant, je dois dire que, malgré la mentalité d'alors, de nombreux parents accueillaient avec amour l'arrivée de cet enfant «non désiré» et le choyaient.

* *
*

Mes dix premières années de pratique médicale furent donc remplies à souhait de toutes sortes d'aventures et de travail. Les gens de l'immense territoire que j'avais à desservir s'en remettaient à moi pour divers besoins, que ce soit pour des soins ou pour demander conseil pour différentes situations. La vie n'était pas toujours facile. Il va sans dire que les maladies et les souffrances causées par un problème dentaire, un accident, une blessure sérieuse, une fracture, constituaient les cas les plus fréquents auxquels je devais faire face et que je devais soulager. Mais ce sont les accouchements qui occupaient la majeure partie de mon temps de pratique.

Il appartenait donc à l'omnipraticien de suivre, avec attention et compétence, les jeunes bébés après leur naissance, de les traiter, le cas échéant, d'établir et de corriger leur régime, si cela s'avérait nécessaire. On me considérait vraiment comme un «médecin de famille», puisque j'étais reconnu pour soigner les membres d'une même famille, du bébé naissant jusqu'aux personnes âgées. À titre d'exemple, un soir, vers 23 heures, je reçois un appel téléphonique me demandant de me rendre au chevet d'une vieille dame, une veuve âgée de soixante-seize ans que je connaissais très bien. J'arrive chez elle et je constate tout de suite en entrant dans sa chambre que tout est propre et bien rangé. La vieille dame repose dans son lit, recouvert d'un couvre-pied blanc. Elle est très éveillée, lucide et ne semble pas souffrir. Je procède à un examen de routine : auscultation du cœur, pression artérielle et pouls. Je constate que sa vie n'est pas en danger. Alors je lui demande : «Madame, pourquoi m'avez-vous appelé à votre chevet ?» Alors, cette vieille et noble dame me répond : «Ah! ce n'est que pour vous voir et vous parler une dernière fois avant de mourir...» Le lendemain, qu'elle ne fut pas ma surprise d'apprendre qu'elle venait de décéder tout doucement...

Aujourd'hui, avec le recul des années, je constate que le fait d'avoir soigné des personnes âgées dont le chemin de vie avait été extraordinaire fut pour moi une source incroyable de révélations, d'expériences vécues, de conseils pertinents qui ont influencé ma propre façon de vivre. J'ai passé beaucoup de temps avec ces personnes simples et attachantes. J'ai toujours eu la conviction profonde que de bonnes et nouvelles idées ne pouvaient que surgir de ces rencontres avec des personnes du troisième âge, si on prenait le temps de s'arrêter et de scruter leur vie remplie de faits si extraordinaires. Quand on est encore jeune, c'est impressionnant et émouvant de côtoyer la vieillesse. De grandes leçons humaines se dégagent de la vie des gens âgés. Pour eux, c'est tellement essentiel que la vie éclate. Par contre, il est juste que la mort soit une réalité commune à tous. Au cours de toutes ces années, je puis affirmer que je ne connais pas de vieillard qui ne l'ait pas affrontée avec sérénité.

* *
*

Les souvenirs de ce genre sont encore bien présents à ma mémoire. C'est si agréable de me les rappeler. J'en ai tant recueilli au cours de toutes ces années à œuvrer dans ce vaste territoire. En parcourant de nouveau la côte gaspésienne, en revoyant les maisons, un souvenir surgit, un rappel de tel ou tel patient que j'ai soigné et soulagé, d'une femme accouchée ou d'une urgence à répondre. Tantôt, c'était pour un enfant malade, tantôt pour un vieillard impotent, un blessé, une personne en état de crise cardiaque, ou aux prises avec des problèmes de reins ou de foie.

J'ai encore vivant dans mon esprit une certaine demeure où je dus passer de nombreuses heures pour procéder à un accouchement dans des conditions difficiles. C'était la nuit. Je m'étais rendu à cette maison en voiture d'hiver attelée à un cheval, dans le froid et la tempête. Chaque fois que je travaillais dans de telles conditions, je me disais que mon père avait dû faire la même chose si souvent. Cela me donnait le courage nécessaire pour continuer d'aller de l'avant et poursuivre ma tâche difficile.

Une nuit, je revenais de Cap-des-Rosiers où j'avais procédé à un accouchement. En passant à l'Anse-au-Griffon, sur la route du retour à la maison, je remarquai une maison encore éclairée à une heure aussi tardive. Rendu à destination, je m'apprêtais à me mettre au lit. Ce fut peine perdue. Une autre voiture à cheval venait me chercher pour un accouchement à cette demeure située à huit kilomètres de chez moi. Il faisait froid et tempête. Des faits de ce genre demeurent inoubliables. C'est si réconfortant pour moi, aujourd'hui, de revivre ces moments de vie. Même lorsque je savais que je ne serais pas payé pour mes services médicaux, je me disais : « Qui pourrait le faire à ma place ? »

Pour comprendre combien il était difficile de vivre et de travailler dans de pareilles conditions, il faut envisager l'étendue du territoire que je devais couvrir comme médecin traitant, qui allait de Gaspé à Grande-Vallée, un parcours de cent dix kilomètres. De plus, les conditions économiques, physiques et atmosphériques n'étaient guère encourageantes. La médecine en Gaspésie, ce n'était pas toujours de tout repos. Maintes fois, le facteur humain l'emportait. Jour et nuit, il me fallait, à l'instar de mon père, affronter des tempêtes et des difficultés de toutes sortes. Cela faisait partie intégrante de la profession de médecin de campagne. C'est ainsi qu'avec toutes ces années d'expérience pratique et précieuse, j'ai pu humblement accomplir ma tâche médicale, en donnant le meilleur de moi-même et de mes connaissances.

Chapitre III

L'omnipraticien

Pour donner du prix à la devise «mériter l'amour de son voisin», la bienveillance de ceux qui nous sont proches, physiquement et intellectuellement est très importante; mais plus grande sera notre contribution et plus vaste sera le voisinage dont nous pouvons gagner la bienveillance.

Pour y parvenir, le moyen le plus simple est de se rendre aussi utile que possible.

Dr Hans Selye, *Stress sans détresse*

L'évolution de la médecine générale de campagne

Lorsque le rapport Castonguay-Nepveu fut déposé auprès des instances gouvernementales du Québec dans les années soixante-dix, on sentait bien que la réforme des services sociaux et de la santé de même que la venue de l'assurance maladie se concrétiseraient. Ce n'était qu'une question de temps. Leur application suivrait peu après.

Cependant, nos appréhensions se réalisèrent lorsque le complexe réseau des Affaires sociales fut mis sur pied : les médecins de famille et de campagne avaient été oubliés. On n'avait pas écouté les médecins qui avaient pris position dans les journaux et les revues, en soumettant bon nombre de recommandations pour l'implantation de nouveaux programmes d'études médicales, histoire de préparer plus adéquatement les jeunes médecins à venir pratiquer en régions éloignées.

Ce fut là la grande faiblesse de ce nouveau système. Quel oubli ! Encore aujourd'hui, on déplore le manque flagrant de médecins dans les régions éloignées. La conséquence de tout cela, c'est qu'on assiste actuellement à une centralisation hospitalière intense et à un engorgement monstre des salles d'urgence.

* *
*

Les médecins de campagne, compte tenu des contingences territoriales, atmosphériques et professionnelles, étaient quand même bien préparés, notamment pour les prescriptions thérapeutiques, les premiers soins urgents et les cas de chirurgie mineure. Or, cette loi modifiait en profondeur leur champ d'activités. On ne tenait pas compte du fait que leur vie passée et présente constituait pour eux un bagage de données importantes, qu'elle leur accordait des prérogatives et même des droits pour remplir leurs fonctions médicales dans les régions éloignées des centres hospitaliers, là où le personnel professionnel n'existait presque pas pour combler les vides. Les dirigeants et les responsables de l'application de ces nouvelles lois hospitalières ont fondu ensemble la médecine de ville et celle pratiquée en régions rurales. Les médecins œuvrant dans ce dernier secteur ont dû subir d'importantes modifications dans leur façon de pratiquer la médecine. Ce fut là, à mon avis, l'une des grandes erreurs de ce système, entériné par les autorités concernées. Celles-ci n'ont pas consulté assez profondément le corps médical.

Et pourtant, que d'expériences de vie auraient pu être analysées dans la mise en place de cette nouvelle loi de l'assurance hospitalisation. À titre d'exemple, un généraliste qui travaillait en région éloignée devait tout faire : tenir sa propre pharmacie et agir comme pharmacien, faire de la dentisterie, de la radiographie, de l'orthopédie et de la chirurgie mineure. Il devait œuvrer selon sa propre organisation et sa compétence dans plusieurs autres domaines relevant des spécialités médicales, comme les accouchements à domicile qui sont de l'ordre de l'obstétrique. Bien sûr, depuis l'avènement de l'assurance maladie, les accouchements sont faits en milieu hospitalier par des spécialistes. À cause de la rigueur des normes établies par l'État et de la centralisation des soins en obstétrique dans les hôpitaux des grands centres, de nombreuses cliniques privées ont été fermées ou « rapatriées ». Ainsi s'est produite l'assimilation des médecins de campagne au profit de celui ou celle qui œuvrait en milieu urbain. Par conséquent, le manque flagrant de médecins en régions éloignées s'est concrétisé et est devenu chronique.

Aujourd'hui, il n'est pas rare de constater qu'un bon nombre de médecins éloignés des grands centres et qui atteignent l'âge de la retraite ne sont pas remplacés. La relève n'existe tout simplement pas. L'organisation et les mécanismes qui devaient présider et apporter des solutions au remplacement des médecins qui ont œuvré comme prédécesseurs en milieu rural sont inexistants. Car la pratique d'une telle médecine ne peut être affrontée seul. C'est d'abord et avant tout un travail minutieux qui doit être préparé et vécu en équipe. Il était à prévoir que beaucoup de médecins de campagne décideraient de prendre leur retraite, ou que d'autres deviendraient handicapés par la maladie et devraient arrêter leur pratique de médecine.

En acceptant de prendre la relève de mon père, en 1948, je savais pertinemment que je devrais couvrir un vaste territoire et que cette noble et exceptionnelle profession revêtirait plutôt un caractère de vocation humaine. Durant mes premières années de pratique comme généraliste, la création de cliniques rurales, liens intermédiaires avec les hôpitaux, présentait une solution mitoyenne à l'époque. C'était le moyen préconisé pour pallier les problèmes de décentralisation des médecins ruraux et éloignés, afin que de vastes territoires soient ainsi bien couverts et, surtout, pourvus adéquatement en effectifs médicaux.

Lorsque ma pratique de généraliste connut sa pleine activité médicale professionnelle, je songeai sérieusement, puisqu'il en avait déjà été question avec mon père peu avant son décès, à créer ma propre clinique, dont il sera amplement question subséquemment.

Aujourd'hui, cela va de soi, la mentalité des gens a changé considérablement. Devant toutes ces lois hospitalières compliquées, elle a dû s'orienter de façon différente. Foncièrement, il n'est plus question, à titre d'exemple, que les accouchements se fassent en clinique. Maintenant, des pharmacies aux allures de supermarché s'installent en campagne ou en milieu semi-urbain. La chiropractie, l'acupuncture, l'homéopathie, ce monde des médecines douces s'impose de plus en plus comme une solution de rechange intéressante aux méthodes médicales traditionnelles. La dentisterie a aussi fait des bonds de géant depuis quelques années, pour corriger et améliorer la dentition des gens.

L'évolution médicale est dorénavant extrêmement rapide dans tous les domaines. L'avancement et le progrès des connaissances scientifiques font reculer le seuil de la maladie, de la douleur et de la mort, quoique beaucoup de champs d'exercice demeurent encore inexploités. Avec la gratuité des soins, les urgences des hôpitaux ne peuvent plus suffire à la demande.

Une chose est certaine, la médecine pratiquée en ville et le genre de soins médicaux donnés en campagne ne peuvent pas s'assimiler. Les cliniques rurales, ces organisations de soins médicaux intermédiaires à celles des centres urbains, constituaient la solution idéale pour les gens malades. De nos jours encore, elles seraient, sans aucun doute, la solution rêvée à l'engorgement des hôpitaux ; on pourrait y faire certains accouchements, traiter les cas de chirurgie mineure, les urgences à transférer aux spécialistes, et surtout mettre de l'avant la médecine préventive, en collaboration avec d'autres organismes à vocation sociale.

Quoi qu'il en soit, la mise en place de l'assurance maladie au Québec a changé le visage de la médecine québécoise, surtout celle exercée dans les régions. Elle a donné une toute nouvelle orientation à la pratique médicale telle qu'elle était exercée antérieurement. Sa mise sur pied demeure un bienfait immense pour toute la population et un modèle du genre apprécié et convoité dans le monde entier. Malgré son coût et certaines faiblesses, elle constitue l'un des plus beaux fleurons de la politique gouvernementale : la gratuité des soins pour tous.

Mon travail en cabinet de consultation

J'arrivais toujours à mon cabinet de consultation vers 8 h 30. Je me souviens, entre autres, de cette matinée d'avril 1973, un vendredi 13 pluvieux... La fatigue me tenaillait encore, puisque j'avais passé une bonne partie de la nuit à accoucher l'une de mes patientes.

Peu de temps après, j'ai engagé une assistante. Elle me secondait souvent pour les anesthésies, les tâches inhérentes au travail de bureau, les rendez-vous, et ainsi de suite. Parfois, elle me prêtait main-forte dans les cas de chirurgie mineure ou pour l'application de certains traitements légers, même si, la plupart du temps, j'accomplissais ces tâches moi-même, surtout en ce qui regardait l'utilisation de l'appareil à rayons X.

Quelquefois aussi, quand nous en avions le loisir, nous donnions un coup de main au personnel de la pharmacie.

Parfois, je recevais des patients pour prendre des empreintes de prothèse dentaire. Je fixais d'habitude le matin ce genre de rendez-vous, ainsi que les cas d'extractions dentaires. Inutile d'ajouter que ces consultations étaient à l'occasion drôlement perturbées et variaient d'une journée à l'autre, riches en surprises de tous genres. Par exemple, on pouvait me demander de me rendre d'urgence chez un patient en état de colique hépatique grave. Je quittais donc précipitamment mon cabinet, pour y revenir beaucoup plus tard retrouver mes clients et reprendre mes consultations. Celles-ci étaient primordiales pour moi. Je tenais mordicus à m'imposer cette discipline : écouter mon patient, lui faciliter l'explication de ses malaises avec précision et élaboration. Je lui donnais du temps, pour autant que mes possibilités de travail médical me le permettaient. Cette autodiscipline favorisait une connaissance plus approfondie de la personnalité du patient ou de la patiente : ses sentiments, ses réactions, ses habitudes de vie, son histoire familiale. Souvent, cette façon de procéder me donnait l'occasion d'établir plus efficacement la cause de ses tracas et de ses problèmes de santé. Écouter leurs complaintes était devenu coutumier pour moi. Ceux et celles qui attendaient leur tour patiemment savaient que le processus de consultation serait long. Mais la même ligne de conduite s'appliquait pour tout le monde. Ce n'était pas une rencontre neutre, dénuée de sentiments humains. Pour moi, il était très réconfortant de penser que tous ces patients venaient se faire traiter parce qu'ils avaient d'abord confiance et qu'ils voulaient guérir.

Cette formule mise de l'avant pour mes consultations médicales rejoignait mes préoccupations face à l'approche psychosomatique de la maladie. Même si cette façon d'agir exigeait beaucoup plus de temps, elle était très motivante pour mes employés et moi-même. En somme, je restais ainsi en continuité avec ma clientèle. Cependant, à cause de l'étendue du territoire que je desservais, du manque de moyens de transport, surtout l'hiver, beaucoup de malades se trouvaient empêchés de se rendre à mon cabinet. Pour pallier cette situation, je décidai d'ouvrir un cabinet de consultation temporaire à Cap-des-Rosiers, à vingt-cinq kilomètres de ma demeure. J'y exerçai de 1953 à 1957. Les besoins médicaux de toute cette population isolée et disséminée sur la côte gaspésienne étaient abondants et on ne recourait aux services du médecin que dans les cas graves. Certains négligeaient ainsi leur santé et enduraient la douleur parfois très longtemps. Que de comas diabétiques, de cas de paralysie causés par une hypertension artérielle grave (une maladie très fréquente en Gaspésie), de maladies cardiaques et d'anémies j'ai pu ainsi déceler, grâce à ces quelques jours de consultation médicale accordés à cette population souffrante.

À mon retour à la maison, je remplissais les prescriptions recueillies durant les visites au cabinet de Cap-des-Rosiers et, la plupart du temps par la poste, je faisais parvenir les médicaments aux personnes touchées par la maladie. J'ai consacré énormément de temps, même la nuit, pour accomplir cette tâche médicale et pharmaceutique. Fort heureusement, je disposais de la panoplie nécessaire de médicaments pour répondre aux besoins des gens.

Au cours de l'un de ces voyages hivernaux en autoneige, à Cap-des-Rosiers, je me rappelle avoir affronté le pire cas de misère et de souffrance physique et morale qu'il m'ait été donné de voir et de vivre au cours de ma carrière médicale.

Ce fut par hasard que je m'arrêtai dans cette demeure. Il m'arrivait souvent, en route pour ce cabinet secondaire, de faire une halte chez des malades à domicile, afin de leur offrir des soins. C'était surtout le cas pour les patients et patientes souffrant d'hypoglycémie nécessitant des injections d'insuline, ainsi que pour d'autres maladies déjà diagnostiquées.

Ce jour-là, la température hivernale se maintenait en bas de 18 degrés Celsius. J'arrivai donc à la maison de cette famille très pauvre et démunie. Dans le portique ou «tambour», une petite enceinte de bois placée à l'entrée principale de cette pauvre habitation modeste pour empêcher le vent d'hiver d'entrer, un vieillard était assis près d'un petit poêle et tentait péniblement de se réchauffer. Il avait très froid et tremblait de tous ses membres. J'entrai dans la maison. Quelle ne fut pas ma surprise d'y découvrir un lit sorti de ce qui semblait servir de chambre à coucher et placé près d'un poêle chauffant à peine au milieu de la pièce.

Une femme de petite taille y était couchée ; elle avait le teint jaune et devait être déjà très intoxiquée. De plus, elle était enceinte de jumeaux, d'après mon diagnostic à première vue : son ventre était démesurément gros.

Mes premières constatations me confirmèrent que les bébés étaient encore vivants. Cette femme était sur le point d'accoucher. Le mari était absent. La pauvre demeure ne possédait pas de doubles fenêtres pour atténuer les effets du vent. En fait, cette maison n'était plus habitable. La femme grelottait de froid, mais elle était pleinement consciente de sa misère et de sa pauvreté, n'ayant même pas les couvertures suffisantes pour se réchauffer. Son regard était si implorant ! Avec mon autoneige, je l'ai donc conduite à l'Hôtel-Dieu de Gaspé. Elle devait y décéder ainsi que l'un de ses jumeaux. N'eut été mon arrêt providentiel chez elle, cette femme serait morte sans soins, sans secours, sans dignité humaine. Après avoir vécu une semblable aventure, jamais, par la suite, je ne pus oublier le regard de cette jeune femme.

Même si les appels à domicile exigeaient beaucoup d'efforts et de temps, je considérais qu'ils comportaient toujours une part de hasard, d'imprévus et d'inquiétudes : blessures graves, fractures importantes, hémorragies, crises cardiaques, notamment. Il était toujours important de discerner les « petits bobos » des maladies à caractère sérieux. Étant donné que je devais parcourir de longues distances dans des conditions parfois pénibles et dangereuses, il m'apparaissait important de mettre les choses au point avec la clientèle.

Au début de ma pratique médicale et même auparavant, le ministère de la Santé de l'époque nommait des infirmières à des postes de gardes-malades dites de « colonie ». Elles répondaient ainsi aux besoins en soins infirmiers de la population, accomplissaient des actes médicaux, procédaient à des accouchements, compte tenu de l'éloignement du médecin ou carrément en son absence du territoire.

J'ai pu apprécier le courage, la capacité, la compétence, l'expérience et le dévouement de ces femmes braves, vaillantes et disponibles. En tant que sages-femmes, elles ont abattu un travail gigantesque. Ce bref rappel constitue un hommage bien particulier et sincère pour le travail important qu'elles ont accompli. À leur façon, ces femmes dévouées ont écrit une page inoubliable de la médecine et des soins infirmiers en Gaspésie.

Ainsi se déroulait ma vie médicale, mes consultations en cabinet, bon an, mal an. La vie d'un médecin de campagne n'était pas une sinécure. Mais c'était une profession si emballante, si humaine et si enrichissante !

De nombreuses anecdotes

L'isolation géographique et l'ampleur du territoire à couvrir ne me rendaient pas la tâche facile. Généralement, devant des cas d'urgence, le médecin de campagne ne pouvait recourir à d'autres moyens que sa débrouillardise, son flair et sa logique, que ce soit au cabinet de consultation, à domicile ou encore sur la route, quand survenait un accident cardiaque, une hémorragie, une blessure grave, entre autres. Combien de fois il me fallut me rendre en différents lieux et me débrouiller avec les moyens du bord et mes connaissances médicales. À ce moment-là, transporter un patient à l'hôpital n'était pas de tout repos, surtout en hiver, alors que le service ambulancier était inexistant.

En revanche, mon histoire médicale regorge de nombreuses anecdotes et rencontres de toutes sortes qui ont égayé ma vie médicale. Les personnes âgées, par exemple, venaient me consulter afin que je prenne leur tension artérielle, mais jamais elles ne m'ont demandé de vérifier l'état de leur cœur par des examens approfondis. J'avais l'impression que c'était là une moindre préoccupation pour eux, comme une espèce de fatalité : un bon jour, il devait s'arrêter. Ce n'était qu'une question d'échéance. Comme me le disait un vieux pêcheur : « Au boutte, la fin y sera... » Et cet autre qui m'avait demandé, le plus innocemment du monde : « Docteur, je veux me faire passer une géographie... »

Et puis, il y a des gens extraordinaires dont je garde un souvenir amusé et nostalgique à la fois, entre autres mon plus vieux patient qui est décédé à cent deux ans. Un bon jour, alors que je lui parlais, il avisa une jeune fille qui passait. Il la regarda attentivement et me dit : « Torrieux qu'a lé ben faite !... » C'était un conteur d'histoires merveilleux et un grand menteur. Il pouvait faire gober aux gens les plus invraisemblables histoires de pêche... même à la radio, du genre de celle-ci : « La baleine m'a promené de force dans le golfe, prise dans les cordages de ma barge ! » Il était le père de dix garçons et d'une fille, une belle « famillée » en bonne santé et très débrouillarde. L'une de ses belles-filles, d'ailleurs, a donné naissance à dix-neuf enfants.

Et puis, il y a ce cas où je fus appelé au chevet d'un vieil homme. Lorsque j'arrivai, il était alité. On lui avait amputé la jambe et, à la suite du décès de sa femme, il avait décidé de se laisser mourir. Il refusait carrément de manger. Mon intervention se borna à le convaincre de reprendre son alimentation, en l'encourageant du mieux que je le pouvais. Je lui ai probablement sauvé la vie avec mes arguments en faisant appel à son gros bon sens et en le persuadant de voir la vie d'une autre façon. Il lui fallait revivre. Il s'en tira et mourut âgé de plus de cent ans.

Je me rappelle aussi un patient qui s'était présenté au cabinet avec une bonne bronchite carabinée. Je lui ai prescrit un traitement de suppositoires. Quelques jours plus tard, il revint me voir. Je lui demandai si le traitement lui avait fait du bien. «Ah, docteur, ça m'a fait du bien, répond-il. J'ai senti la chaleur dans ma gorge et dans mon estomac en les avalant. »

Bien sûr, de telles anecdotes faisaient partie de la vie quotidienne et venaient détendre l'atmosphère entre deux appels au secours. Mais ce ne fut pas toujours aussi drôle. J'ai dû répondre à de nombreux appels d'urgence désespérés. Plusieurs

situations dramatiques me reviennent particulièrement en mémoire.

À Rivière-au-Renard, il y a une installation-
radar dont le travail consiste à communiquer avec
les bateaux de pêche pour les informer des alertes
météorologiques et, en particulier, avec les paque-
bots et les cargos transatlantiques, en direction de
l'Europe et des autres continents. J'avais été mandaté par le ministère des Transports fédéral pour
répondre aux appels d'urgence émanant de ces
bateaux qui ne voulaient pas entreprendre le
voyage transocéanique avec une personne malade
à bord.

Or, en pleine nuit d'été très noire, par grosse
mer, il me fallut me rendre à bord d'un cargo ancré
au large de Rivière-au-Renard. Un brave pêcheur
m'y conduisit avec sa barge. J'étais bien conscient
des risques encourus : la noirceur d'encre, la mer
houleuse, les manœuvres d'approche du cargo. Je
dus m'agripper à une échelle de corde suspendue
aux flancs du navire et monter péniblement à
bord. J'aurais pu aussi, par pure malchance,
manquer un échelon ou mal m'agripper et tomber
à l'eau. Ou encore échapper ma trousse.

C'est ainsi qu'à plusieurs reprises j'ai vécu de
pareilles aventures en répondant à ces appels imprévus comportant des prises de décisions graves,
surtout lorsqu'il s'agissait d'hospitaliser les personnes malades. Chaque fois, j'avais droit à des
surprises : un marin grec qui voulait débarquer
illégalement au pays tout en dissimulant une maladie ; un marin tombé dans la soute du navire,

mortellement blessé, un accident qui me parut très suspect; une femme d'origine australienne qui serait morte à bord si je n'avais pas procédé à son hospitalisation, puisqu'elle souffrait d'une grave péritonite...

Je me souviens aussi de plusieurs autres cas où je dus faire preuve de débrouillardise et de sang-froid.

Un jour, je fus appelé au domicile de deux personnes âgées, en crise d'œdème aigu du poumon. Avec mon canif, j'ai pratiqué une ouverture à une veine du bras pour opérer une saignée. Leur sang était déjà noir. Sans cette intervention, ces patientes seraient décédées. Elles vécurent encore plusieurs années.

Un autre patient souffrait atrocement de rétention urinaire. Fort heureusement, j'avais, dans ma trousse médicale, une sonde vésicale que je pus utiliser pour le soulager. C'est avec beaucoup de reconnaissance qu'il me remercia de l'avoir guéri.

Dans plusieurs cas de fracture, j'ai dû faire l'immobilisation des membres brisés avec un plâtre, à la demeure même des patients.

Une personne souffrant de pneumonie a eu droit au «vieux traitement des ventouses», petits globes de verre appliqués sur la peau, remplis de ouate allumée. La pénicilline et autres antibiotiques n'étaient pas encore disponibles à cette époque.

À de nombreuses reprises, je dus provoquer des fausses couches, à cause d'hémorragies violentes, soit par tamponnement, avec instrument et, parfois, par curetage.

Un jour, je me rendis au domicile d'un patient très malade à cause d'un ulcère d'estomac perforé. Il était en situation d'urgence. Avec grand-peine, je l'aidai à prendre place dans mon automobile pour l'hospitaliser au plus vite à l'Hôtel-Dieu de Gaspé. Nous étions alors en 1949. Rendu sur la table d'opération, le patient était presque mourant. On procéda donc à l'anesthésie comme cela se pratiquait alors, soit en utilisant l'éther, un solvant chimique très volatil et inflammable. Soudain, comme par intuition, je me retournai brusquement et j'aperçus une religieuse qui s'apprêtait à allumer un cierge. Je lui lançai un cri terrible. La salle d'opération était alors remplie de vapeurs d'éther. À coup sûr, la mort aurait été inévitable pour nous tous si cette religieuse avait frotté l'allumette. Un tel événement ne s'oublie pas, je puis vous l'assurer.

Parmi tant d'autres activités médicales de toutes sortes, il me reste aussi le souvenir des grands brûlés que j'ai traités et soignés jusqu'à leur guérison. Entre autres cas, cet enfant tombé dans un mélange de moulée chaude, préparée pour l'alimentation des porcs et que l'on appelait couramment *middling*. Le garçon était brûlé au troisième degré. Je me souviens aussi d'une petite fille brûlée au deuxième degré parce que le devant de sa jaquette de nuit avait pris feu au poêle de la cuisine. Dans ces situations très souffrantes, j'avais mes propres traitements et je réussissais tant bien que mal à les soulager et à les guérir, en ne leur laissant qu'un minimum de cicatrices, surtout dans la figure.

À plusieurs occasions toutefois, j'ai dû camoufler ou, à tout le moins, habiller un peu... beaucoup... la vérité crue du diagnostic, notamment, dans le cas d'une jeune fille de vingt ans, chez qui j'avais décelé la sclérose en plaques. Le pronostic incluait différentes phases de paralysie. Bien sûr, elle ne devait jamais connaître la vérité sur son état, ni le nom de l'affreuse maladie incurable qui l'affligeait. Son ami m'a demandé s'il pouvait quand même l'épouser sans conséquences. Je me suis fait un devoir d'aider ces jeunes, dans cette situation peu commune. Ils se sont mariés et eurent deux beaux enfants.

Plusieurs personnes sont aussi passées par mon cabinet, histoire de me consulter pour des malaises étranges, des douleurs lancinantes. Malheureusement, après des examens un peu plus approfondis, mes appréhensions se trouvaient habituellement fondées. Je diagnostiquais une forme ou une autre de cancer, à suivre et à traiter jusqu'au décès inéluctable. Je ne disais pas la vérité à ces patients, leur laissant croire qu'ils souffraient d'anémie. Dès que ceux-ci avaient mis de l'ordre dans leurs affaires personnelles et fait leur testament « au cas où », je leur annonçais la triste nouvelle. Dans bien des cas, cela ne changea pas grand-chose au moral de ces personnes. Même rendus au stade terminal de leur maladie, ils trouvaient encore le moyen de faire des projets.

Je suis particulièrement fier d'un cas précis où j'avais décelé la paralysie infantile ou poliomyélite. Il s'agissait d'une jeune fille de quatorze ans. Il n'y avait pas un seul cas de poliomyélite dans son entourage ni dans le territoire que je desservais. Avec mon marteau à réflexes comme seul instrument, je lui examinai la jambe droite qui était très faible. Immédiatement, je la dirigeai vers l'hôpital Sainte-Justine à Montréal. Le médecin traitant m'appela pour m'exprimer son étonnement devant la justesse de mon diagnostic. Encore aujourd'hui, je ne m'explique pas comment j'en suis arrivé à cette conclusion. Un an plus tard, la jeune fille en question est revenue avec ses prothèses. Elle s'est bien rétablie et n'est pas devenue invalide, grâce à ce diagnostic précoce, chanceux et heureux.

Dans une tout autre situation, moins heureuse celle-là, une jeune fille de vingt-deux ans vint me consulter en me disant qu'elle ressentait des douleurs à la jambe droite. Elle attribuait ces malaises au fait qu'elle exerçait le métier de couturière et qu'elle utilisait son pied droit pour actionner le pédalier de la machine à coudre. Je traitai cette « faiblesse » avec mon appareil à ultrasons, ce qui favorisa une bonne amélioration de l'état de sa jambe. Puis, la jeune femme quitta son village pour se rendre à Montréal. Quelque temps après, elle revint chez elle la jambe coupée. Elle mourut un peu plus tard d'une tumeur cancéreuse du tissu musculaire.

Un certain soir, à une heure tardive, je reçus un appel d'urgence. D'après les renseignements, je devais me rendre à Cap-aux-Os. Arrivé à la résidence de la personne qui m'avait lancé cet appel au secours, je trouvai un homme âgé, souffrant énormément, qui me montrait un « anthrax » considérable (série de furoncles), situé dans la région lombaire. Avec mon bistouri, j'ai ouvert dans toutes les directions les foyers d'infection staphylococcique que constituaient ces nombreux furoncles, vulgairement appelés clous, dans l'espoir que je débriderais le tout. Aujourd'hui, quand j'y repense, j'ai nettement l'impression qu'à ce moment précis, en agissant ainsi, j'ai sauvé la vie de ce pauvre bougre en lui évitant l'empoisonnement. Et cela, je dus le faire avec les moyens restreints dont je disposais, sans l'aide de médicaments antibiotiques. Heureusement, j'avais toujours mon bistouri à portée de la main.

* *
*

C'est ainsi que ma pratique médicale à Rivière-au-Renard m'a poussé à me procurer un bon équipement d'examen et de soins, pour répondre le plus adéquatement possible aux besoins particuliers de ma clientèle de plus en plus nombreuse. Avec des outils de travail plus précis, je pouvais prétendre me lancer vers d'autres domaines et spécialités. C'est pourquoi mon cabinet de consultation ressemblait plutôt à une clinique, équipée d'un appareil à rayons X d'abord, puis d'un électrocoagulateur, d'aiguilles électriques, d'un thermocautère, ce dernier instrument étant surtout utilisé dans le traitement des verrues, des angiomes et autres maladies de la peau.

J'ai souvent utilisé aussi l'ultrason pour certains examens. Je possédais également un laboratoire pour effectuer les analyses courantes (sang, urine, etc.). De plus, je pouvais répondre aux exigences pharmaceutiques et médicamenteuses de mes patients et clients dans presque tous les domaines médicaux, sans oublier mon équipement dentaire. En résumé, mon attirail médical me permettait d'affronter la grande majorité des problèmes de mes patients et patientes, sans oublier tous les cas de chirurgie mineure.

Quand on effectue un retour et qu'on repasse en vrac les grands événements ou les étapes majeures de sa vie, on revoit aussi, fort heureusement, les « heures de gloire » qui l'ont jalonnée.

En ce qui a trait à mes huit premières années de pratique médicale, deux éléments importants me reviennent en mémoire : les nombreux accouchements effectués à domicile et la création et la mise en œuvre de la clinique Saint-Martin. Ces deux passages de vie, je les considère comme la réalisation tangible et ultime de mon rêve de jeune médecin de campagne. Je suis venu en Gaspésie par idéal de vie, mais aussi avec la conviction que je devrais y vivre, y travailler durement, contre vents et marées, et, probablement, un jour, y mourir.

Mes activités de consultation m'ont donc conduit à répondre aux exigences des soins à donner à mes clients et, par conséquent, à faire appel aux

connaissances médicales de différentes spécialités. À cette époque, on ne pouvait compter que sur
les services de quelques médecins spécialistes, en
chirurgie et en anesthésie, par exemple, à l'Hôtel-
Dieu de Gaspé, dirigé à cette époque par la communauté des Augustines hospitalières de la misé-
ricorde de Jésus. En ce qui me concerne, j'ai
souvent passé de la pharmacie à la dentisterie ou
à l'orthopédie, grâce à mon appareil à rayons X.
J'ai aussi œuvré en gynécologie et en obstétrique,
en médecine psychosomatique et en psychiatrie,
sans oublier la fameuse «petite chirurgie». Lorsqu'un patient se présentait à mon cabinet de consultation, son cas pouvait relever autant du
champ d'activité de la médecine générale que du
domaine des diverses spécialités que je viens
d'énumérer.

La pharmacie

Point n'est besoin de disserter longuement sur
l'importance capitale, pour un médecin de campagne, de pouvoir compter sur des produits pharmaceutiques de qualité. En ce qui a trait à l'organisation médicale de mon cabinet de consultation, je
n'avais pas de prescription à rédiger. Dès le début
de ma pratique, j'avais mis en place un système
codé qui facilitait le renouvellement de la médication pharmaceutique. Seul le médecin pouvait
prescrire et choisir le médicament nécessaire, en
tenant compte des effets secondaires, des contre-
indications, etc. Sa responsabilité était donc grande et il se devait de connaître la valeur des prescriptions données aux patients. Au cours de

toutes ces années de pratique médicale rurale, j'ai toujours maintenu une pharmacie pour les besoins de mes patients en médicaments. Elle fut un outil de travail indispensable et répondait aux demandes plus générales du public. Elle satisfaisait évidemment aux exigences gouvernementales, condition *sine qua non* du renouvellement de la licence d'exploitation.

Il va sans dire que j'étais circonspect en ce qui concernait l'emploi de nouveaux médicaments, surtout lorsqu'il s'agissait de les administrer aux femmes enceintes. À titre d'exemple, qui ne se souvient pas de la désormais célèbre thalidomide, ce tranquillisant, actuellement abandonné, qui produisait des malformations congénitales phocomèles (insertion immédiate des pieds et des mains sur le tronc)? Je me réjouis d'avoir utilisé la médication avec beaucoup de prudence et, surtout, d'avoir combattu l'emploi exagéré de médicaments et condamné les prescriptions abusives.

Comment un médecin peut-il prescrire allégrement un nouveau médicament qu'il ne connaît presque pas, avec tout ce qu'un tel produit pharmaceutique peut contenir de contre-indications et d'effets secondaires graves pour le patient? Le vieil adage « entre le médicament et le poison, il n'y a que la dose » est encore d'actualité. Tout cela relève de la pharmacologie et non de la médecine, me direz-vous. Voilà pourquoi le rôle du pharmacien vient compléter celui du médecin, en préparant ses ordonnances. Dans mon cas, isolé sur un vaste territoire, je n'ai guère eu le choix. J'ai dû cumuler les deux fonctions.

Voilà aussi pourquoi il est si important que le médecin puisse maintenir à jour ses dossiers médicaux et pharmaceutiques. En ce qui me concerne, le simple fait que je remette au patient la médication appropriée pour soulager ou guérir sa maladie, en utilisant ma propre pharmacie, rendait le processus très efficace et rapide. Au surplus, cette façon d'agir me permettait d'expliquer en détail aux personnes concernées pourquoi je leur prescrivais tel ou tel médicament. Après avoir consulté des livres et des dossiers pharmaceutiques, je pouvais me procurer les médicaments requis pour fournir les traitements appropriés dans des cas reliés à différentes spécialités comme la dermatologie, l'oto-rhino-laryngologie, la neurologie, entre autres.

Au fur et à mesure que les nouvelles orientations, les nouvelles lois pharmaceutiques nous ont donné des règles plus strictes de contrôle et de fonctionnement, les médecins pharmaciens furent éliminés graduellement du système d'assurance maladie du Québec. Aux temps forts de ma pratique médicale rurale, les services offerts par ma pharmacie couvraient un grand territoire. Je peux me réjouir, à bon droit, d'avoir pu faire connaître une foule de médicaments d'usage courant aux patients qui venaient en consultation et aux clients de la pharmacie. Ajoutons qu'à cette époque, les condoms n'étaient pas encore en vente libre. On les conservait, bien à l'abri des regards, dans un tiroir spécial. Quand un client désirait se procurer ce produit, un peu mal à l'aise, il chuchotait sa demande. Les restrictions sociales et religieuses de l'époque le voulaient ainsi.

L'obstétrique

Un médecin de famille, on ne le dira jamais assez, c'est d'abord celui qui a mis les enfants au monde. Il aurait été impensable qu'un médecin de campagne ne fasse pas d'accouchement. Chaque fois qu'il aidait une femme à accoucher, il devenait responsable de deux vies. Son devoir était double : permettre à la mère de continuer son œuvre et sa mission, et donner l'occasion au bébé de naître dans les meilleures conditions possibles, afin qu'il puisse grandir et évoluer normalement. Au cours des années subséquentes, la mission du médecin se transformait : tout en soignant et en assistant l'enfant dans sa croissance, il devenait le témoin de son cheminement de vie. Le médecin de famille, c'était tout cela.

J'ai pleinement conscience qu'une partie importante de ma vie médicale a surtout été influencée et orientée vers et par les accouchements et les soins obstétriques. En compilant ainsi mes activités dans ce domaine, je réalise combien ce travail fut capital pour moi. Ces expériences médicales si diversifiées m'ont tellement comblé. Elles ont orienté en grande partie la création et la vocation typique de la future clinique Saint-Martin.

Ce que je relate dans ces pages, ce sont, parmi tant d'autres, des souvenirs ineffaçables qui me reviennent en mémoire et qui m'ont laissé au cœur un attachement sans bornes à cette belle région que j'ai si souvent parcourue en long et en large, pour y mettre des enfants au monde. En écrivant cela, il me revient en mémoire ces paroles de Jacques Brel: «Un enfant, c'est le dernier poète, d'un monde qui s'entête à vouloir devenir grand...»

* *
*

Au cours de toutes ces «randonnées» de campagne, ma pratique médicale s'est adaptée et astreinte aux aléas des routes, des moyens de transport et de communication, au temps capricieux et aux fortes tempêtes, surtout durant l'hiver. Je devais aussi être prévoyant lorsque je me rendais à domicile pour procéder à l'accouchement, surtout chez les familles pauvres qui ne possédaient pas toutes les commodités. Une fois rendu sur place, de nuit comme de jour, il me fallait préparer les instruments nécessaires pour que l'accouchement se fasse dans les meilleures conditions hygiéniques possibles.

À ce sujet, je me dois de rendre un hommage particulier aux gens qui me recevaient dans leur demeure. Avant mon arrivée, une tradition bien établie se mettait en branle: les femmes (voisines, parentes, etc.) se donnaient la main pour préparer des «piqués» qu'on plaçait sur le lit de la femme enceinte et qu'on changeait au besoin. On les confectionnait en retenant ensemble plusieurs épaisseurs de papier journal avec du coton à fromage. Je me rappelle d'ailleurs avoir lu la première page d'un journal en attendant que le bébé arrive! À une autre occasion, une photo du frère André voisinait celle de René Lévesque. Ils en ont vu de toutes les couleurs! Ces piqués constituaient pour moi une distraction au cours de tous ces accouchements.

Puis on préparait la lingerie, une table souventes fois âgée et peu solide, une lampe à l'huile, une cuvette parfois défraîchie, du savon et l'indispensable désinfectant Lysol pour me laver les mains, de l'eau bouillante pour la stérilisation des instruments comme les forceps. Il faut noter qu'à cette époque, le médecin accoucheur ne portait pas encore de gants stérilisés. Comme on peut le constater, la naissance d'un enfant était, d'une certaine manière, attendue et planifiée. Il me restait à procéder à l'accouchement, le moment venu.

Mon masque à chloroforme me suivait toujours. C'est cette substance incolore et oléagineuse que l'on utilisait pour anesthésier les patientes. Déjà, mon père avait joué un rôle dans ce domaine. Il fut l'un des premiers médecins à l'employer. Le chloroforme, c'était un genre de «paradis artificiel» pour les femmes enceintes, lors de l'accouchement. Alors, pourquoi le chloroforme et non l'éther? Des millions de femmes l'ont expérimenté, malgré ce pseudo-préjugé que certains anesthésistes entretenaient concernant son emploi, à cause de ses supposés inconvénients et effets négatifs sur le foie. Dans mon cas, je l'ai toujours employé lors de mes accouchements; l'une de mes patientes a même donné naissance à dix-neuf enfants. D'ailleurs, il n'était pas rare de constater la présence de nombreux enfants au sein d'une même demeure.

À Rivière-au-Renard, entre autres, je me remémore avec nostalgie trois familles comptant respectivement dix-neuf, seize et quinze enfants. Il me semble donc difficile de ne pas rendre un hommage particulier à ces vaillantes familles. Que sont-elles devenues par la suite? Seule l'histoire généalogique et les registres paroissiaux pourraient nous l'apprendre. Au cours d'une visite effectuée à la demeure paternelle de l'une de ces familles, quatorze des enfants étaient réunis autour de la même table. De telles réunions familiales avaient lieu quotidiennement, non pas seulement à l'occasion des jours de fête. Ces familles, dont le père était pêcheur, cultivateur ou menuisier, n'ont pas vécu dans la pauvreté, à une époque où l'assistance sociale n'existait pas. La plupart d'entre elles s'autosuffisaient avec les produits de la terre, de la mer et de la forêt. Si je tiens compte du nombre total des enfants de ces familles, je n'ai pas noté de cas d'invalidité, ni de tares héréditaires indésirables ou de déficience mentale. À titre d'exemple, un jour, il m'est arrivé d'accoucher une mère de famille très âgée. Elle en était à son dix-neuvième enfant. Dans un autre cas, une mère âgée de quarante-cinq ans mit au monde un beau bébé bien portant, quinze ans après la naissance de son dernier enfant.

Plusieurs de ces enfants, devenus adultes aujourd'hui, occupent des postes importants, autant ici, en Gaspésie, qu'à l'étranger. Nous habitons un magnifique coin de terre, un pays à n'en plus finir. Mais la Gaspésie a grand-peine à retenir les siens, parmi les plus brillants, les plus intelligents, les plus débrouillards, histoire d'assurer son développement social, économique et culturel. En revanche, c'est fort heureux, beaucoup des nôtres nous font honneur ailleurs, dans tous les domaines et les sphères de l'activité humaine et profession-nelle.

* *
*

Ce que je viens de rappeler, c'est un peu... beaucoup... le côté folklorique des accouchements à domicile. La réalité était parfois tout autre. Je vous rapporte quelques cas bien particuliers, ren-contrés au cours de ma longue pratique médicale campagnarde. Ici, je dois souligner les risques immenses et les sérieuses responsabilités aux-quels j'ai dû faire face au cours de tous les accou-chements que j'ai effectués tant à domicile qu'à la clinique Saint-Martin. C'était surtout vrai dans les cas de présentation par le siège, de procidence du cordon (chute du cordon en dehors de l'utérus), de présentation d'épaule ou de transverse et même de *placenta praevia* marginal (risque de décollement précoce du placenta avant l'accouchement nor-mal). Les manoeuvres de version de même que l'application de forceps étaient alors enclenchées afin que la mise au monde du bébé soit une réus-site. J'ai rarement eu recours à l'épisiotomie (inci-sion effectuée pour éviter les déchirures), car je prenais tout le temps nécessaire. Avec d'infinies précautions et beaucoup de patience, je procédais alors à l'accouchement.

J'éprouve une grande fierté quand je songe que je n'ai eu aucun cas de poursuites, d'accusa-tions ou de conflits, de la part de patients, pour négligence ou mal-pratique médicale durant mes longues années d'exercice à Rivière-au-Renard. Et pourtant, que d'inquiétudes et de risques encourus ont jalonné toutes mes longues années de pratique, que ce soit en obstétrique, en orthopédie et dans les autres domaines comme la dentisterie, les services pharmaceutiques et les cas de chirurgie mineure. Que de fois on est venu frapper à ma porte ou on m'a appelé pour me dire : « Docteur, venez vite, ma femme est en train d'accoucher, on a grand besoin de vous. » « Docteur, on va vous envoyer chercher en voiture à cheval. »

Personne d'autre que moi ne pouvait répondre adéquatement à ces appels d'urgence et quelquefois de véritable détresse, comme cette fois où, pour procéder à un accouchement, je dus me rendre à domicile en béquilles, à la suite d'une vilaine fracture à la cheville. Je me souviens d'avoir effectué la majeure partie de mon travail professionnel à genoux ou par terre.

J'ouvre ici une longue parenthèse pour vous relater quelques-unes des mille et une péripéties tout aussi cocasses, difficiles et saugrenues, vécues lors de mes désormais mémorables visites à domicile pour soigner les malades ou pour accoucher mes patientes. Disons tout d'abord que, dans le passé, le médecin de campagne éloigné, isolé dans son milieu, trouvait des solutions à certains problèmes « non catholiques ».

Encore aujourd'hui, d'ailleurs, elles sont bien présentes à ma mémoire, ces aventures que j'ai eu à affronter avec les moyens de transport réduits pour aller aux malades et aux accouchements. Je me rappelle, en particulier, une tempête de neige inoubliable, tellement forte que je dus chausser mes skis, au lieu de mes raquettes, pour me rendre à domicile et surveiller la naissance du bébé, ainsi que la santé de la mère, car la précipitation de neige avait été incroyable. Il m'est aussi arrivé de voyager en tombereau (en particulier celui dont on s'était servi pour transporter du fumier afin d'engraisser les terres agricoles), à travers le vent, le froid et la neige. Les routes n'étaient pas encore ouvertes durant l'hiver. Un bon jour, je dus marcher deux kilomètres et demi dans un sentier de montagne pour me rendre dans une humble cabane de colon, où un enfant était très malade. Ces « sorties » parfois périlleuses, mais parfois aussi plaisantes, me permettaient souvent de me délasser, de réfléchir, de me détendre, tout en admirant la nature gaspésienne, si belle en toute saison.

Ainsi, il fallait accepter ces contraintes majeures, sans trop s'en faire. Bien sûr, je ne voyageais pas toujours en sécurité sur les routes, surtout hivernales et printanières, au moment où le verglas, la poudrerie et la pluie torrentielle se mettaient de la partie. Que ce soit en automobile, en voiture à cheval ou en autoneige, les gens nous demandaient de les visiter à domicile, non seulement pour les accouchements, mais aussi pour toutes sortes de raisons : blessures diverses, hémorroïdes, fractures, etc. Ainsi le voulait la mentalité de l'époque : les personnes malades ou souffrantes ne se déplaçaient pas ; c'était le médecin qui le faisait. Si on voyait passer une voiture à cheval, avec peine et misère, par des températures froides et des grosses tempêtes de neige, alors que personne ne s'aventurait sur les routes, inévitablement, on se disait : « C'est le docteur qui s'en va aux malades ! »

Parfois, cependant, en toute conscience, j'avais la nette impression qu'il y avait risque pour ma vie. Il m'est d'ailleurs arrivé de vivre une expérience unique pour « aller à un accouchement », selon la formule consacrée. Il fallait que je parcoure une distance de treize kilomètres, en partant à sept heures du matin, pour arriver, en principe, à huit heures du soir. Ajoutons que la veille, une forte tempête hivernale avait soufflé sur la région, laissant derrière elle une accumulation de plusieurs centimètres de neige folle, de la poudrerie et un temps gris sombre.

À cette époque, je voyageais en *snow-mobile*, avec un chauffeur et un aide. Dans cette épaisseur de neige empilée et non durcie, l'autoneige s'enlisa. De peine et de misère, on réussit à s'en sortir et à parcourir un autre petit bout de route. Mais arrivé au sommet d'une côte abrupte, alors que je me trouvais seul dans la *snow-mobile*, celle-ci se mit à glisser à reculons, se renversa, exécuta deux tonneaux, pour enfin s'arrêter à quelques mètres du bord d'un cap assez haut. Heureusement, je m'en suis sorti indemne ; ma trousse médicale était sauve, elle aussi. Aussitôt le véhicule remis sur la route, on réussit à parcourir un autre bout de chemin dans les mêmes conditions, jusqu'à ce qu'une voiture à cheval vienne nous rejoindre, après avoir fait plusieurs relais et changer de cheval puisque celui-ci enfonçait dans cette épaisse neige molle. Parti en autoneige, j'arrivais à cheval.

On dit qu'il y a un Bon Dieu pour les femmes enceintes et celles qui sont sur le point d'accoucher. Les exemples ne manquent pas. La femme en question attendait encore. Tout se passa très bien, malgré les complications prévues dans ce cas précis. Il était huit heures du soir...

Être présent à l'accouchement devenait donc primordial et, dans de nombreux cas, cela constituait une question de vie ou de mort. Pour tel ou tel accouchement, n'eut été de la présence du médecin, la patiente serait morte d'une hémorragie, la « bête noire » du médecin accoucheur, ou encore la vie du bébé aurait pu être gravement compromise.

Combien de fois j'ai passé la journée de Noël, du jour de l'An ou de Pâques dans une demeure rurale pour y assister une mère et l'aider à mettre son enfant au monde! Dans bien des cas, je n'avais guère le choix: quelquefois, je me rendais un peu trop à l'avance et je devais revenir chez moi pour y retourner ensuite. Mais ce va-et-vient était impossible en hiver; on se rendait à la demeure désignée et on attendait la suite des événements. J'essayais tant bien que mal de dormir, la tête appuyée sur la table de la cuisine, sur le canapé ou sur un lit rudimentaire, parfois même à côté de la parturiente (femme enceinte). J'étais pleinement conscient, à l'occasion de ces fêtes, de tous les sacrifices imposés aux membres de ma famille par mon absence, alors que les préparatifs des repas, du réveillon, avaient été prévus et pensés en fonction d'une belle fête de famille. Dans ces conditions impondérables et imprévisibles, ma vie affective et amoureuse fut souvent dérangée par des appels d'urgence, la nuit, ou par des gens désespérés qui venaient frapper à ma porte.

Le 19 février 1950, j'ai souvenir de l'une de mes pires randonnées en autoneige, à Cap-des-Rosiers. Ce jour-là, j'ai affronté une forte tempête de neige. Je suis demeuré «pris» durant trois jours sans pouvoir bouger de la demeure où j'avais mis des jumeaux au monde. Prématurés de sept mois, ceux-ci devaient décéder le lendemain de leur naissance, les mauvaises conditions atmosphériques nous empêchant de les conduire à l'hôpital pour leur sauver la vie.

Un jour, alors que j'étais aux prises avec une naissance compliquée où je devais utiliser les forceps, le téléphone sonna et on m'apprit que mon épouse, à sept mois et demi de grossesse, faisait une grave hémorragie. Grâce aux injections nécessaires, à des sacs de glace et au repos imposé, je réussis, non sans inquiétude, à intervenir à temps avant qu'on la transporte d'urgence à l'hôpital.

Ainsi se déroulait la vie du médecin accoucheur, bon an mal an, que ce soit en voiture à cheval, en auto sur des routes cahoteuses, par les chemins d'hiver non praticables, le long de la péninsule gaspésienne. J'ai déjà assisté onze femmes dans leur accouchement au cours d'une même semaine. À peine revenu à la maison après quelques heures de sommeil, je repartais de nouveau pour me rendre dans une demeure dont j'avais aperçu auparavant les fenêtres illuminées, en revenant chez moi. Que ce soit pour le quatorzième, le dix-neuvième, le vingtième ou le vingt et unième enfant, l'accueil dans ces humbles maisons était toujours aussi chaleureux et bienveillant. Combien de fois, après la naissance d'un enfant, ai-je ouvert la porte aux voisines compatissantes qui venaient s'enquérir de la bonne nouvelle et féliciter la mère pour cet heureux événement !

Malheureusement, ce ne fut pas toujours aussi facile et réconfortant. Les accouchements se pratiquaient à domicile la plupart du temps et il n'était pas encore entré dans les mœurs des femmes enceintes de se faire suivre régulièrement, les conditions d'alors ne le permettant pas : absence de transport adéquat, état lamentable des routes, rigueur du climat, surtout en hiver et au printemps.

Si je parcours la longue liste des accouchements effectués à la maison, le plus dramatique de tous fut sans doute celui d'une dame de l'Anse-au-Griffon... À cette époque, je venais à peine de commencer à voyager en autoneige sur les routes d'hiver. La maison de cette femme était située à treize kilomètres de mon cabinet. J'arrivai donc au domicile de cette femme très corpulente qui était assise dans une chaise puisqu'elle ne pouvait plus se coucher. Enceinte de sept mois et demi environ, elle attendait des jumeaux, mais sa grossesse était affectée d'un excès de liquide amniotique. Il va sans dire qu'elle était intoxiquée, qu'elle avait le souffle court et le teint verdâtre, en somme, une condition vraiment grave qui nécessitait une hospitalisation rapide. En autoneige, je la conduisis donc à l'hôpital pour que l'on provoque son accouchement.

Le temps passa sans que je n'aie de nouvelles de cette patiente. Un soir, je reçus un appel urgent me demandant de me rendre de nouveau à son domicile. Incroyable mais vrai, on l'avait retournée chez elle sans l'accoucher. Inutile de vous dire que cette fois, je n'avais pas de temps à perdre. Elle était déjà en douleurs. Je réussis tant bien que mal à donner naissance à son premier enfant, une fille, qui, à première vue, me sembla en bonne santé. Toutefois, je dus carrément « aller chercher » le deuxième bébé. Il s'agissait d'un garçon au corps flasque, mort-né depuis environ un mois et demi. L'hémorragie qui suivit fut foudroyante. Une personne âgée et tremblante m'assistait, avec une lampe à l'huile comme éclairage. Je sentais bien la menace de mort qui planait sur ma patiente. Je me devais d'agir rapidement. Avec peine et misère, je libérai le placenta et là, j'enfonçai ma main et mon bras jusqu'au fond de l'utérus pour bloquer cette hémorragie au plus vite. Avec un peu d'aide, de mon autre main libre, je réussis à lui donner une injection d'« ergot » et une autre de « venin de serpent » que j'avais préparées.

Je n'ai jamais oublié le regard de ma patiente, bien réveillée à ce moment précis, ainsi que son cri alarmant « Docteur, docteur !... », alors que je tentais l'impossible pour juguler cette foudroyante hémorragie. Je ne pouvais pas lui administrer un autre sédatif. Je me souviens de lui avoir fait réaliser que c'était une question de vie ou de mort. Inutile d'ajouter que j'ai passé des heures fort inquiétantes à surveiller cette mère. Mais elle fut sauvée d'une mort certaine. Peu après, encore sous le coup d'un tel choc médical, je puis vous assurer que le verre de gros gin fut le bienvenu...

Je suis finalement revenu chez moi, mais je fus incapable de dormir. L'image de cette pauvre femme me revenait constamment à l'esprit. J'étais très inquiet à son sujet. Je retournai donc la visiter. Le danger ne me semblait pas passé. Par mesure de prudence, j'organisai son transport à l'hôpital pour qu'on puisse lui donner une transfusion de sang et les autres soins requis par le grand état de faiblesse où elle se trouvait. Malgré toute l'attention qu'on apporta à son cas, ce fut difficile de mettre un terme à ses vomissements post-partum. Elle développa alors une psychonévrose post-puerpérale. De retour chez elle, elle présentait des crises de douleur qui semblaient très aiguës, surtout en présence des gens qui venaient la visiter. Avec patience et douceur, je réussis quand même à rétablir la situation et à lui redonner le goût de vivre.

Cet épisode médical devait retarder mon départ pour des vacances bien méritées et déjà planifiées depuis un mois, la période de temps écoulée depuis le jour où j'avais franchi le seuil de la demeure de cette courageuse épouse gaspésienne. Comme il me fait chaud au cœur aujourd'hui de rendre un hommage particulier et très émouvant à de telles femmes. Dans leurs entrailles, elles ont tissé et porté les bâtisseurs et bâtisseuses de la Gaspésie. Cette louange s'adresse aussi à toutes les mères de famille qui ont affronté la terrible

épreuve de mettre au monde des bébés hydrocé-
phales, avec spina-bifida, arthritiques ou complètement invalides. Ces parents courageux ont accepté ces souffrances intérieures sans regimber et
se sont occupés de leurs enfants déficients, sans
aucune intention de les placer en institution. De
tels actes de vaillance et de courage méritent notre
respect.

Durant les années antérieures à 1946, date de
son décès, mon père m'avait raconté qu'il avait
assisté, impuissant, à six ou sept fausses couches, chez la même femme. Il s'agissait d'un cas
typique de facteur rhésus, un facteur systémati-
quement recherché lorsqu'on détermine le groupe
sanguin d'un sujet, surtout lors de la grossesse.

À mes débuts de pratique, je me suis trouvé en
face du même problème, avec la même patiente. À
la suite d'un traitement avec le médicament appelé Provera, entre autres, elle se rendit jusqu'à six
mois et demi de grossesse et je l'ai accouchée de
jumeaux. Nous étions alors en hiver; il me fallut
organiser son transport à l'hôpital avec beaucoup
de précaution, et en prévoyant des bouillottes, des
briques chaudes et des couvertures de laine. Malheureusement, parce que l'hôpital n'était pas encore pourvu d'un incubateur, les deux bébés ne
survécurent pas.

Mais le fait le plus extraordinaire et peut-être
unique dans les annales médicales gaspésiennes,
se produisit lorsque la même patiente arriva à
mon cabinet, enceinte d'un quatrième enfant.
Cette fois-ci, elle réussit à rendre sa grossesse

jusqu'à sept mois et demi. Comme toujours ou presque, je reçus un appel en pleine nuit, alors que la patiente avait commencé à subir les douleurs et les contractions de l'accouchement. « Encore une fois, me dis-je, un désastre est à prévoir. » À l'aide de sédatifs et de soins requis dans un tel cas, je réussis à stopper l'accouchement presque déclenché et à prolonger la grossesse pour trois autres semaines.

Ce qui semblait incroyable devait quand même se produire. Cette mère courageuse mit au monde une petite fille atteinte de jaunisse. En guise d'explication, disons que lorsqu'une femme au facteur rhésus négatif porte un enfant qui a hérité du facteur rhésus positif de son père, les globules rouges de l'enfant peuvent passer à travers le placenta dans la circulation sanguine de la mère. Celle-ci fabrique alors des anticorps contre le facteur rhésus qui peuvent détruire les globules rouges de l'enfant, en franchissant la barrière placentaire et entraîner des accidents plus ou moins graves. L'enfant sera mort-né ou pourra développer une jaunisse.

En employant toutes les mesures nécessaires et en prenant beaucoup de précautions, la petite fille nouvellement née fut transportée à l'hôpital. Une fois sur place, un médecin mis au courant de son cas entreprit de pratiquer une transfusion, visant à remplacer une partie du sang de l'enfant par celui de son père. Ce qui est merveilleux et incroyable, compte tenu de l'époque, c'est qu'elle fut sauvée. Cette « petite fille » à risques est aujourd'hui âgée de quarante ans. Elle est mariée et mère d'une petite fille. Toutes deux sont en bonne santé.

De tous ces appels reçus pour des soins à domicile ou pour assister les futures mères et les aider à donner naissance à leurs enfants, je n'en ai refusé aucun. Il ne fut jamais question pour moi de répondre négativement à un cas particulier, à cause d'un compte impayé. Et combien de fois suis-je revenu sans avoir touché un sou! Il m'arrivait même de payer le transport à l'hôpital pour certains patients. Malgré de belles promesses, on ne pouvait tout simplement pas me payer, sauf avec des produits de la ferme, des pommes de terre, du bois de chauffage, par exemple.

En écrivant cela, je songe, en particulier, à l'une des plus pauvres familles de mon territoire. Comme je me suis dévoué pour elle. Souventes fois sujette à la maladie, aux accouchements, aux fausses couches, quand elle n'était pas aux prises avec des caries dentaires, des blessures ou des besoins urgents en médicaments, cette famille ne pouvait même pas me récompenser par des produits domestiques. Tout simplement, les parents et les enfants me remerciaient en me disant qu'ils ne m'oublieraient pas.

Je fus demandé en pleine nuit pour me rendre dans cette même famille, au chevet de la mère qui faisait une fausse couche avec hémorragie. Dehors, une violente tempête de neige soufflait. Leur pauvre demeure, ou plutôt leur masure, était située au sommet d'une côte abrupte. Dans ma hâte à me porter au secours de cette pauvre femme, j'avais malencontreusement oublié ma lampe de poche. Enfoncé dans la neige jusqu'à la ceinture, je réussis finalement, en me guidant sur la faible lumière diffusée par les quelques fenêtres de la maison, à me rendre sur les lieux. Sans mon intervention, en tenant compte aussi de la santé précaire et anémique de la mère, je doute qu'elle aurait pu passer à travers cette épreuve. Cette fin heureuse me récompensa d'avoir répondu promptement à son appel et de lui avoir sauvé la vie. Durant ce temps, au deuxième étage, dans les combles de la maison, les enfants dormaient, allongés côte à côte sur le plancher.

Même si mes prix n'étaient pas élevés, mon horaire de travail m'empêchait souvent de noter toutes mes sorties, de même que le prix des médicaments utilisés en plus. Tout cela était tellement subjectif, basé sur la capacité de payer du client, par exemple dix dollars pour un accouchement, sans tenir compte de la distance parcourue et des heures passées à domicile. Le facteur individuel jouait donc beaucoup, car l'argent était rare et les paiements aussi.

Quand le régime d'assurance maladie est entré en vigueur et que la gratuité des soins est devenue officielle, on considéra que les comptes dus au médecin de campagne seraient désormais remboursés par l'organisme gouvernemental. Malheureusement, ce ne fut pas le cas. L'ère de la reconnaissance des services, des soins rendus et des « merci, docteur » était révolue.

Un bon jour, cette mère de famille m'a demandé, pour sa tranquillité d'esprit et de conscience, de détruire tous les comptes impayés qu'elle me devait. Comme le recouvrement des sommes dues constituait une corvée pour moi, c'est donc en pensant à elle et sans regret, au cours des années suivantes, que j'ai brûlé, dans le foyer de mon chalet, je ne pourrais dire combien de ces comptes impayés, devenus caducs.

La dentisterie

La dentisterie, cette science qui a comme objectif l'étude et la pratique des soins dentaires, constituait un domaine indispensable pour le bassin de population de tous âges que je desservais. Comme médecin rural, j'ai dû me servir de cette science complémentaire, devenue un art aujourd'hui, pour soulager et répondre aux besoins des patients qui venaient me voir au cabinet de consultation. Dans ce temps-là, il n'y avait qu'une solution possible pour soulager le mal de dents : l'extraction. Les dentistes étaient rares.

Heureusement, je pouvais compter sur un équipement adéquat. Je m'enorgueillissais même de posséder une véritable chaise de dentiste. L'extraction, autant chez les adultes que chez les enfants, était devenue une nécessité tellement la condition dentaire de la population était dans un état déplorable. Puisqu'il n'y avait pas de dentiste, dans quelques situations d'urgence, j'ai dû m'extraire plusieurs dents moi-même et même m'ajuster une prothèse partielle !

Ma pratique sur ce plan fut ponctuée, elle aussi, de quelques faits cocasses. Par exemple, un jour, un patient s'amena à mon cabinet pour m'apprendre nerveusement qu'il avait avalé son dentier. Sans perdre de temps, je lui radiographiai l'estomac et je réalisai qu'il avait bel et bien avalé sa prothèse dentaire partielle. Je lui prescrivis alors une alimentation adéquate et deux jours plus tard, il l'expulsa.

Malgré tout, les gens traités ont toujours gardé un bon souvenir des soins dentaires reçus ; au cours de rencontres subséquentes, beaucoup de personnes me l'ont gentiment rappelé. Ils n'avaient pas gardé « de dent » contre moi... même si une extraction dentaire est une aventure médicale qui ne s'oublie pas facilement, peu importe si elle a été effectuée sans douleur. Je me souviens d'un enfant de cinq ans, que j'avais mis au monde « à crédit », et qui se présenta à mon cabinet, souffrant d'une atroce rage de dent. Bien sûr, je savais d'ores et déjà que les parents ne pourraient me payer. D'ailleurs, tel que mentionné précédemment, ils n'étaient pas les seuls dans ce cas. Évidemment, ce n'était pas le moment de songer à des considérations pécuniaires. L'enfant souffrait beaucoup et il me fallait le soulager. Nerveux, il parlait tout le temps, bien calé dans ma chaise de dentiste. Sa mère, impatiente, lui lança abruptement : « Ferme ta gueule et ouvre ta bouche ! »

Des moments teintés d'humour comme celui-là, j'en ai vécu beaucoup. Même le pêcheur revenu du large m'arrivait à toute heure, souffrant d'un mal de dent insupportable. Toujours je me rendais disponible pour soulager sa douleur. Seul pour couvrir un tel territoire de campagne, je n'eus guère le choix de procéder ainsi. De fait, plusieurs extractions dentaires, chez des enfants, furent même effectuées sous anesthésie générale. Même si ce traitement s'avérait parfois inquiétant, je peux dire que jamais il ne m'est arrivé de mésaventures.

La population de tout le territoire avait été habituée à recourir aux services dentaires que leur avait offerts mon père, que ce soit pour la prise d'empreintes ou pour la fabrication de prothèses partielles ou totales. Il avait eu la chance d'étudier à l'école dentaire de Montréal. Puisque je lui succédais, les patients tinrent pour acquis que je leur offrirais les mêmes services que leur avait prodigués mon père. Ce ne fut que par la suite que je me suis découvert un don et une facilité à prendre les empreintes buccales. Malheureusement, je n'avais rien appris à ce sujet au cours de ma formation universitaire; je réalisais, par contre, que la population éprouvait un grand besoin de soins dentaires.

Ce fut le vicaire de la paroisse de Rivière-au-Renard qui me servit de cobaye pour la prise de ma première empreinte. Grâce à son consentement et à ses bonnes dispositions, grâce aussi aux conseils du denturologue de mon père, et après plusieurs essais infructueux, je réussis à mettre au point les techniques nécessaires à l'implantation de prothèses dentaires. Je réussis même par la suite à fabriquer certaines pièces en nobélium.

Cependant, à la lumière des connaissances et de l'hygiène dentaire et buccale d'aujourd'hui, on se pose avec raison la question suivante: «Pourquoi avoir tant fait d'extractions de dents plutôt que d'avoir mis l'accent sur la prévention de la carie dentaire?» Un fait demeure certain: le lait pasteurisé, les légumes riches en vitamines et les fruits étaient pratiquement absents de l'alimentation quotidienne. En plus, en bas âge, les caries dentaires se faisaient fort nombreuses à cause du manque d'hygiène buccale, un phénomène observé dans la très grande majorité des familles, en raison probablement du manque d'instruction et de communication.

On peut donc mesurer l'ampleur de l'éducation à donner aux familles de ce vaste territoire. Je passe sous silence tous les efforts que j'ai déployés, toutes les démarches que j'ai exécutées pour amener des correctifs efficaces à la dentition des enfants en leur fournissant des traitements à base de calcium et de vitamines. Ce fut là une besogne immense d'éducation de la population que j'avais entreprise et que l'Unité sanitaire gouvernementale de l'époque continua par la suite. Elle poursuivit ce travail d'information et d'hygiène d'ores et déjà amorcé chaque fois qu'un patient souffrant d'un mal de dents se présentait à mon cabinet.

Les soins orthopédiques et radiographiques

À mes débuts de pratique médicale, comme auparavant d'ailleurs, le médecin de campagne ne pouvait que recourir à l'auscultation au stéthoscope pour diagnostiquer une pleurésie ou une pneumonie. Il faisait alors un simple examen clinique, en y ajoutant l'examen de la tension artérielle, la prise du pouls et de la température. Pour ma part, je ne disposais pas encore des services d'un appareil à rayons X et on n'hospitalisait pas encore les patients dans ces cas de maladies pulmonaires. Ils étaient traités à domicile et ils n'en mouraient pas toujours, quoique les registres de décès paroissiaux soient très éloquents à ce sujet. Nous étions alors à la fin des années quarante.

En 1960, pour répondre aux besoins sans cesse croissants de ma clientèle médicale, je me suis procuré un appareil à rayons X. Je me suis alors aperçu des immenses services qu'un tel équipement pouvait me rendre dans les cas de fractures, surtout lorsqu'il s'agissait d'un accidenté du travail, ainsi que dans bien d'autres situations pénibles. J'ai utilisé cet instrument radiographique comme un guide précieux dans l'établissement de diagnostics sûrs. J'ai pu ainsi déceler positivement un grand nombre de fractures diverses, effectuer les réductions nécessaires et terminer le traitement par l'application du plâtre requis.

Entre autres, j'ai traité la fracture du coude de ma propre petite fille de six ans, en pleine croissance osseuse. Les autres médecins consultés refusèrent d'entreprendre les soins inhérents à sa mauvaise fracture. Je n'eus d'autre choix que de prendre son traitement en main et je réussis, malgré tout, à la soigner, sans complication ni infirmité. Ah! ce qu'il en fallait du risque et de l'audace pour exercer cette noble profession!

Je me rappelle en particulier ce cas typique où un jeune homme marchant avec grand-peine se présente à mon cabinet. Incroyable mais vrai, il avait parcouru la distance qui séparait sa maison de mon cabinet, en marchant dans la neige, le péroné et le tibia de la jambe droite fracturés. Grâce à l'appareil à rayons X, je pus établir le diagnostic. Je l'aidai à retourner chez lui dans des conditions nécessitées par son état et afin que je puisse l'installer convenablement et lui immobiliser la jambe. Trois jours plus tard, je lui ai fabriqué un plâtre. Il put guérir et, aujourd'hui, il ne claudique même pas.

À une autre occasion, on frappa à la porte de mon cabinet vers minuit. J'ouvris et j'aperçus deux jeunes hommes en état d'ébriété. L'un d'eux présentait une luxation complète des deux os du coude. Avec mon appareil radiologique comme guide et avec de l'aide, je réussis à replacer les deux os sans aggraver son cas. L'alcool qu'il avait ingurgité le maintenait dans un état de relaxation qui facilita mon travail, en quelque sorte. Bien sûr, il n'était pas question d'argent dans ce cas...

De telles situations imprévues se sont souvent présentées : notamment, extraction d'hameçons de pêcheurs de diverses parties du corps, coupures prononcées à la cuisse ou à la jambe, causées par la faux du cultivateur ou la hache du bûcheron. La vie médicale, au quotidien, c'était tout ça !

La médecine psychosomatique

Pendant mes études médicales, je faisais partie du Cercle universitaire Laennec. En quatrième année, on m'invita à prononcer une conférence sur la médecine psychosomatique. On n'élaborait pas encore beaucoup sur ce sujet, en 1945, et cette approche nouvelle ne faisait pas encore partie des cours de médecine générale. J'avais réussi à dénicher quand même un volume américain, écrit en 1943 par les docteurs Weiss et Englis : *Psychosomatic Medicine*. Devant les étudiants et les professeurs du Cercle Laennec, je fis un exposé de ce «nouveau» concept de la médecine psychosomatique.

Cette approche médicale m'avait fasciné dès les premières années de ma pratique médicale. Je savais que le facteur psychique jouait beaucoup chez un bon nombre de patients, à preuve cette réflexion spontanée jaillie du cœur d'une brave dame, venue me voir pour me raconter ses problèmes, ses inquiétudes et ses malaises digestifs : «Docteur, je me sens tellement mieux maintenant, après vous avoir consulté.» Pourtant, je ne lui avais prescrit aucun médicament. Je l'avais tout simplement écoutée se raconter.

Cette forme d'approche médicale m'apparaissait comme une base indispensable dans mes relations patient-médecin, surtout à une époque où nous devions faire face à des problèmes de comportement tels que l'angoisse, la dépression, les cas de suicide possibles, les névroses et autres troubles mentaux. Je considérais donc comme très important d'en tenir compte dans mes diagnostics et mes histoires médicales.

Pour appuyer mes propos, j'ai en mémoire un cas presque parfait de simulation. Un certain après-midi, on me demanda de me rendre d'urgence dans une demeure de la paroisse. En y entrant, je trouvai plusieurs personnes agenouillées qui priaient. Je passai dans la chambre et j'y aperçus le curé de la paroisse en train d'administrer l'extrême-onction à une jeune fille couchée dans le lit et qui me semblait morte. Je le laissai terminer ses prières. Mais mon intuition me disait qu'il y avait anguille sous roche. Après quelques observations précises, je me rendis compte qu'il s'agissait bel et bien d'une simulation. J'écrivis un mot sur un bout de papier et je le glissai au curé. Demeuré seul dans la chambre à coucher, je me mis à parler à la jeune fille. Par mes paroles, je réussis à démasquer la supercherie. La jeune fille ouvrit les yeux et fit un geste. Sa simulation avait été presque parfaite. En revenant de l'école, elle s'était fait surprendre par la tempête et avait risqué sa vie.

Je vous cite aussi le cas d'une patiente, épouse d'un pêcheur du coin, qui présentait toutes sortes de troubles neurovégétatifs. Sa situation matrimoniale en était la cause. Son mari, après une semaine d'absence en mer, se rendait directement à la taverne en arrivant de la pêche, au lieu de passer la fin de semaine avec sa famille. La solution dans ce cas ne résidait pas dans la prescription de médicaments, cela va de soi. Mais face à ce problème psychosomatique, une seule option paraissait possible : un franc dialogue avec le mari, grâce au médecin de famille qui agissait comme arbitre. Je pris donc le temps nécessaire pour écouter les personnes concernées, pour les laisser parler et se vider le cœur, pour expliquer des symptômes parfois difficiles à cerner ainsi que leurs troubles matrimoniaux.

Pour les clients de la salle d'attente, le temps pouvait sembler très long. Mais pour le patient suivant, la même ligne de conduite s'appliquait. Ajoutons que pour alléger l'attente, il y avait quand même de la musique et de la lecture en abondance. Puis, quand le temps me le permettait et que c'était possible, durant mes heures de consultation, il m'arrivait d'aller piquer un bout de jasette avec les personnes qui attendaient patiemment leur tour. Je m'assoyais alors et je les écoutais me raconter leur histoire; je leur inspirais confiance et détente en badinant avec eux ou en évoquant un souvenir humoristique. Quant à moi, le seul fait de penser que tous ces patients venaient me rencontrer pour me consulter ou se faire soigner parce qu'ils avaient confiance en moi, me faisait chaud au cœur. Il ne s'agissait pas d'un échange neutre, dénué de toute amitié. Au contraire, toute notre conversation se déroulait dans un grand esprit de solidarité et de respect mutuel de la personne humaine.

* *
*

Ainsi, j'ai longtemps pratiqué la médecine en solitaire, isolé sur un vaste territoire. Jusqu'à l'arrivée de l'assurance maladie, j'ai étendu mes champs de connaissances médicales à divers domaines, par la force des choses, avec l'équipement le plus adéquat possible et dans la mesure de mes capacités personnelles de travail. Mais les années filaient à vive allure. Il me fallait penser à travailler dans de meilleures conditions, et ce, afin de ménager mes forces et ma santé.

Voilà pourquoi j'entrepris mes démarches pour favoriser d'abord et obtenir ensuite, auprès des instances gouvernementales concernées, la création d'une clinique médicale rurale intermédiaire des centres hospitaliers urbains, une solution que j'envisageais comme la seule voie possible pour contrer les problèmes médicaux existants et attribuables au manque de médecins de campagne.

La réponse à mes attentes, ce fut la clinique Saint-Martin.

Chapitre IV

La clinique Saint-Martin :
un défi de taille

> *Quelle est donc la raison pour laquelle nous devons beaucoup à ces hommes ? Tel a connu l'espoir et l'inquiétude plus qu'il n'est besoin et l'a raconté à un médecin ; c'est pour moi non pour sa réputation personnelle qu'il tremblait ; il ne s'est pas borné à m'indiquer les remèdes ; il les appliquait aussi de sa main ; au nombre des personnes anxieuses, il était assis à mon chevet ; aux heures critiques, il ne manquait pas d'être là ; aucune corvée ne lui pesait, aucune ne le rebutait ; il n'entendait pas mes gémissements sans émotion ; dans la foule nombreuse des clients qui l'appelaient à eux, j'étais l'objet préféré de ses soins ; il n'avait de temps pour les autres qu'autant que l'état de ma santé lui en laissait ; celui-là, ce n'est pas comme mon médecin, mais comme ami qu'il m'a fait son obligé.*
>
> Sénèque, *De Beneficiis*, VI, XVI

L'historique

Dix années s'étaient déjà écoulées depuis le jour où, plein d'enthousiasme, une qualité propre aux jeunes débutants, je franchis la porte du bureau médical laissé vacant par le décès de mon père. Dix ans de pratique de médecine de campagne, de nombreux appels au secours pour des cas d'urgence, des accouchements et des soins obstétriques de toutes sortes, effectués dans des conditions pas toujours faciles, voilà un peu le résumé de mon travail acharné à parcourir un vaste territoire rural pour y donner les soins nécessaires à mes concitoyens et concitoyennes, aux prises avec la maladie, la pauvreté et la misère. Cette décennie m'offrait donc l'occasion par excellence de dresser un bilan du travail accompli et un moyen rêvé de mettre sur pied un système ou une formule de soins qui me permettrait de progresser en offrant à la population de Rivière-au-Renard, des paroisses et des villages avoisinants, une organisation hospitalière et médicale plus humaine, mieux organisée et surtout mieux équipée.

D'ailleurs, à ce sujet, dans la chronique « Râles et Frottements » du journal *L'Information médicale et paramédicale* du 19 novembre 1963, j'écrivais un article intitulé : « Plaidoyer en faveur du médecin de campagne et des hôpitaux ruraux — Éloge du médecin de famille et de campagne ». En voici quelques extraits :

[...] Dans les conditions actuelles, le médecin de pratique générale n'est pas encouragé à demeurer en campagne quand il se rend compte de ce qu'était pour lui sa pratique et ce qu'elle est devenue aujourd'hui...

[...] Le pauvre médecin de campagne d'aujourd'hui, laissé à son propre sort, sans dé-

fense devant cette situation nouvelle, n'est pas capable, par ses propres moyens, de faire assez concurrence pour maintenir ses positions même établies depuis des années. Pour continuer à reconnaître le médecin de famille de jadis, il faudra faire diligence si les autorités gouvernementales continuent à légiférer en oubliant l'existence et la survie même de ce groupe encore imposant que représentent les médecins de campagne, avant leur disparition presque complète...

[...] Comment maintenir à la campagne les médecins actuellement installés et surtout comment augmenter leur nombre en remplaçant ceux qui sont déjà partis ou décédés et en comblant les vides là où ce serait possible et nécessaire à travers la province de Québec?

[...] Pour cela, il faut que les centres ruraux de la province de Québec soient organisés en centres médicaux, au même titre et droits que les centres régionaux et urbains, dans les plans de l'assurance hospitalisation, des services externes et surtout avec des centres de maternité répondant aux besoins jugés nécessaires quant au nombre de lits dans un territoire déterminé...

[...] Ce centre médical et hospitalier rural pourra regrouper deux ou trois médecins de pratique générale de la localité ou du territoire correspondant avec le personnel infirmier, d'entretien et administratif nécessaire. Il pourra fournir, par son organisation, en plus de la maternité et

*de la pouponnière, les soins d'urgence, de pe-
tite chirurgie, un laboratoire et certains appareils pour analyse et dépistage et comme
avant-poste de médecine préventive, surtout
dans des cas de cancer, de tuberculose, de
cardiopathie, etc.*

Ces attentes et ces rêves, je les mijotais depuis
longtemps dans mon esprit, puisque, durant mes
études universitaires, mon père et moi avions décidé de mettre sur pied un centre médical, afin de
pratiquer ensemble la médecine rurale, avec un
programme bien défini : une modification des habitudes de notre clientèle, histoire de leur offrir de
meilleurs soins en hospitalisation. Quant à nous,
notre objectif commun visait une pratique médicale dans de meilleures et nouvelles conditions de
travail, mieux réparties et plus humaines. Le décès de mon père, en 1946, devait bouleverser ce
beau rêve et le mettre en attente. Mais ce n'était
que partie remise.

Après toutes ces années de travail incessant
dans la même foulée que lui, je réalisai que pour
préserver ma santé et m'offrir enfin une vie moins
mouvementée, il fallait que je franchisse le pas,
que la personne malade vienne d'elle-même se
faire soigner dans un cadre plus humain. En
1953, ce vieux rêve prit forme : portant fièrement
le nom du patron de la paroisse de Rivière-au-
Renard, la clinique Saint-Martin voyait le jour.
Mais, dix-sept années plus tard, les fonctionnaires
du ministère des Affaires sociales procédèrent à sa
fermeture, imposée par de nouvelles normes hospitalières mises en vigueur par la Loi de l'assu-

rance hospitalisation gouvernementale. D'ailleurs, cette vague de fermetures devait s'étendre à tout le réseau des petits centres hospitaliers qui faisaient partie, comme la clinique Saint-Martin, de l'Association des hôpitaux privés du Québec.

Aujourd'hui, je suis en droit de m'enorgueillir à juste titre d'avoir réalisé seul, sans aide de l'État, ce beau rêve, ce projet audacieux : la création de MA clinique de maternité, bien connue de tout le territoire et dont la réputation n'était plus à faire. Cela dit en toute humilité, j'en étais fier, car les standards de qualité des soins prodigués portaient le sceau de l'excellence.

Si je feuillette ces pages de la petite histoire médicale de la région, c'est que j'ai pleinement conscience de l'importance de cette clinique et des besoins qu'elle venait combler au sein de la population. Cependant, je dois ajouter que ce ne fut pas de tout repos de rendre fonctionnelle une telle organisation. Déjà, en 1945, nous avions discuté plans et finances plus d'une fois, mon père et moi. Quelques années plus tard, au moment où le projet prenait de plus en plus d'ampleur, je décidai d'entreprendre des démarches officielles auprès de divers ministères gouvernementaux et organismes susceptibles de me venir en aide dans la réalisation de ce projet. C'est ainsi qu'une correspondance importante fut échangée avec les personnes suivantes : M. Paul Martin, ministre fédéral de la Santé ; le docteur Robert Quenneville ; le docteur Clément Carter ; M. Gérald Lasalle ; les docteurs Arthur Leclerc et Alphonse Couturier, à tour de rôle ministre de la Santé du Québec.

Mais à cette liste de personnages importants contactés, s'ajoutait celui de Claude Castonguay coprésident de la Commission Castonguay-Nepveu, dont le rapport allait bouleverser le monde de la santé et des services sociaux, au cours de la désormais célèbre révolution tranquille. D'ailleurs, à cette fameuse commission d'enquête, je présentai un mémoire important coiffé du titre *Le Médecin de campagne et les cliniques médicales rurales*. (Voir le texte reproduit à l'annexe 1.)

Dès lors, à la lumière des réponses reçues, je pus soumettre, aux différents ministères gouvernementaux concernés, les plans et les devis d'un petit hôpital (ou clinique) préparés par l'architecte Mainguy de Québec et devant employer au moins deux médecins ainsi que le personnel adéquat pour son bon fonctionnement. La raison invoquée pour justifier ma demande était fort simple : *pallier et combler les vides en hospitalisation en régions éloignées.*

Alors s'enclencha la ronde des rencontres ministérielles, bancaires, municipales et autres. Même Maurice Duplessis, alors premier ministre du Québec, n'y échappa guère. (Voir les lettres et les documents reproduits à l'annexe 2.)

Comme on peut le constater, il n'était guère facile de décrocher et d'obtenir les octrois nécessaires pour démarrer un projet d'envergure comme celui que je préconisais. Pourtant, les plans de la clinique avaient été conçus et préparés avec beaucoup de soin, en tenant compte de toutes les implications médicales et sociales qu'un tel projet comportait. En fait, ces plans auraient pu servir de base et de modèle pour l'instauration de plusieurs autres cliniques du même genre au Québec, tel que je les avais présentés dans le mémoire soumis à la Commission Castonguay-Nepveu.

Pourtant, malgré tous ces détails précis, malgré un dossier extrêmement bien préparé et des démarches personnelles incessantes auprès des personnes impliquées dans une telle requête décisionnelle en faveur des hôpitaux ruraux intermédiaires des centres urbains, je réalisais pleinement que le temps n'était pas du tout propice à une telle prise de position. Même si je m'étais élevé en ardent défenseur du médecin de campagne, même si j'en avais fait les éloges bien fondées et démontré les avantages de solution aux problèmes existants, par la mise sur pied de la clinique préconisée et pensée en fonction des besoins en soins médicaux du milieu, le dossier n'avançait pas. Bien sûr, on me félicitait d'une telle initiative, on m'encourageait fermement à aller de l'avant. Cependant, aucun appui financier ne venait corroborer cette longue liste de vœux pieux des instances impliquées dans ce dossier.

Je savais fort pertinemment que l'adoption de la loi créant l'assurance hospitalisation s'en venait à grands pas. À ce moment-là, j'occupais le poste de directeur de l'Union des conseils de comté. À son dix-septième congrès annuel, je fis adopter une résolution demandant au ministre de la Santé d'intégrer au plan législatif de l'assurance hospitalisation un programme créant des hôpitaux ruraux. Bien entendu, cette résolution resta lettre morte. Aujourd'hui, je demeure quand même convaincu qu'elle aurait constitué l'une des plus solides décisions face aux problèmes actuels de la médecine dite de campagne et du manque flagrant de médecins en régions éloignées.

* *
*

Mes démarches s'avéraient donc vaines. Il me fallait procéder d'une tout autre façon si je voulais donner une forme à ce si beau rêve. Aujourd'hui, quand je me remémore le chemin parcouru, je me rends bien compte que l'histoire n'est qu'un perpétuel recommencement. Au moment où j'ai laissé de côté l'idée de mettre sur pied un petit hôpital de campagne subventionné par l'État québécois, les problèmes se sont amenuisés au point où, face à mes seules ressources personnelles, j'ai trouvé la formule pour créer ma propre clinique privée, dont la vocation obstétrique et gynécologique devait rayonner par la suite sur tout le territoire. Avec beaucoup de ténacité et de travail, de persévérance et de confiance dans le but à atteindre, je pus enfin réaliser mon rêve.

Il en est ainsi de nos jours. Grâce aux médias écrits et électroniques, on tente par tous les moyens de convaincre la population du Québec (surtout ici en Gaspésie, où la situation économique, en particulier dans le secteur des pêcheries, est en piteux état) de se prendre en main, afin d'assurer sa propre survie économique, industrielle et maritime, en arrêtant de considérer les instances gouvernementales comme un État-providence. Bref, après des années de tergiversations de toutes sortes, j'apprenais de nouveau toute la vérité philosophique contenue dans ce simple petit énoncé : « On est jamais si bien servi que par soi-même. »

L'ouverture officielle

En 1957, la leçon apprise du gouvernement avait porté ses fruits. Quelques amis de longue date avaient accepté de signer officiellement la demande de charte d'incorporation : MM. André Plourde, directeur de la succursale de la Banque canadienne nationale à Rivière-au-Renard, John-Arthur Brochet, commerçant, Fernand Rioux, hôtelier. Je reçus donc les lettres patentes tant attendues et dûment signées par le sous-registraire de la province de Québec, constituant en corporation l'hôpital Saint-Martin de Rivière-au-Renard. (Voir la Charte d'incorporation reproduite à l'annexe 2.)

Quel beau jour ce fut alors pour moi ! Par mes propres moyens, par mon initiative, sans octroi gouvernemental, j'avais réussi à relever un immense défi : mettre sur pied ma propre clinique. Dans cet édifice qui abritait déjà mon cabinet, la pharmacie, la chaise du dentiste et tout l'appareillage s'y rattachant, sans oublier le centre nerveux, soit l'équipement à rayons X et le petit bureau annexé pour développer et lire les radiographies, la clinique Saint-Martin voyait le jour, aménagée en clinique de maternité. Pendant près de dix-sept ans, elle demeurera en activité. J'y ai fait naître environ trois mille bébés, dont des triplés et je ne sais plus combien de jumeaux.

Une belle histoire comme celle de ce rêve longtemps désiré et réalisé enfin constitue encore aujourd'hui un magnifique chant d'amour qui me monte au cœur, à l'âme et aux lèvres. Une histoire aux reflets dorés qui, au cours de toutes ces années, aura l'occasion d'en côtoyer d'autres, transparentes comme du verre. La clinique Saint-Martin a prêté vie à des êtres de chair et de sang, dont le chant de joie est encore porteur de témoignages, avec tout ce qu'il exige de maîtrise devant l'ampleur de la tâche à accomplir, devant la mort à affronter, la maladie et la souffrance à soulager et à guérir, mais aussi d'extraordinaires chances de bonheur et d'épanouissement, pour peu qu'ils puissent avoir la foi et croire en la puissance de l'amour et des différents visages qu'il épouse. Les années de travail à la clinique m'ont démontré que je ne m'étais pas trompé lorsque, jeune étudiant frais émoulu de l'université, je fixai mon but : venir en Gaspésie et y vivre mes propres histoires d'amour avec sa population si attachante et chaleureuse.

Voilà les nobles sentiments et la belle poésie qui m'habitaient lors de cette toute simple et touchante cérémonie d'ouverture officielle de la clinique Saint-Martin, en présence du prêtre-pasteur de la paroisse de Rivière-au-Renard, des membres de ma famille, d'amis très proches et d'un bon nombre de citoyens locaux et des environs et leurs épouses. Reconnue légalement comme organisme de santé par le régime de l'assurance maladie du

Québec, comme en font foi les documents officiels cités à l'annexe 2, elle allait devenir le pôle de soins obstétriques et de dépistage de maladies courantes pour la majorité des gens habitant les localités du territoire que je desservais depuis mes débuts comme médecin de campagne.

Les objectifs

Les buts et les objectifs de la clinique pouvaient se résumer comme suit : changer la condition des femmes accouchant à domicile et leur offrir un mode et un décor plus décent, plus humain et hospitalier pour qu'elles puissent donner naissance à leurs enfants en toute quiétude et avec les meilleurs soins hospitaliers. D'ailleurs, ma vision de l'accouchement en clinique voulait reproduire le plus fidèlement possible les conditions de la mise au monde à la maison, mais en tenant compte que, constamment, je pourrais me tenir près de la femme enceinte, en l'encourageant et en la soulageant. De cette façon, je l'aiderais à accoucher presque sans douleur.

Ce ne fut pas une mince tâche que d'aménager dans l'édifice qui m'avait déjà servi de logement une clinique avec une pouponnière et une salle de réception pour les patientes résidentes dans le but évident d'y recréer l'atmosphère familiale et de rendre très agréable leur séjour à la clinique. Nous faisions en sorte également que la communication interne s'effectue toujours dans un esprit familial extraordinaire, incluant, bien entendu, le contact intime et maternel entre la femme et son bébé. Que ce soit pour l'allaitement ou pour leurs allées et venues à l'intérieur de la clinique, j'ai toujours laissé pleine et entière liberté aux mères nouvellement accouchées. Il faut croire que cet état d'esprit leur convenait puisque plusieurs d'entre elles y ont établi un «record» en y accouchant à cinq reprises.

Certains accouchements furent spécialement mémorables, dont cette femme qui accoucha de jumelles d'un poids record : 8 023 grammes (17 lb et 11 oz). À leur naissance, les bébés semblaient avoir déjà deux mois. La mère m'affirma le plus sérieusement du monde s'être brûlé le nombril à plusieurs reprises en cuisinant, au cours de sa grossesse.

Autre fait inusité : un jeune couple se présenta un jour à la clinique pour s'y inscrire. Je n'avais malheureusement pas eu la possibilité de suivre adéquatement la future mère puisqu'elle avait quitté la région depuis un bon bout de temps, pour n'y revenir pratiquement qu'au moment où elle devait accoucher. Immédiatement, je soupçonnai un grossesse multipare. Ajoutons qu'elle avait déjà trois enfants. Sans plus attendre, je pris une radiographie et, sur l'écran, je constatai que mon diagnostic visuel ne m'avait pas trompé : il s'agissait en effet de triplés. Lorsque je lui appris l'état de la grossesse de son épouse, son mari, un peu hébété sous le coup de l'émotion, me regarda et dit tout de go : «Vous devez vous tromper ! Souvent, les docteurs se trompent !» Je demandai alors à la mère de prévoir la lingerie nécessaire pour trois bébés, lorsqu'elle reviendrait à la clinique pour accoucher. Quand elle s'amena, le moment venu, par un bel après-midi d'été, il faisait un temps splendide.

Je connaissais déjà la position qu'occupaient les triplés dans le sein de leur mère. Je procédai donc à la délivrance du premier enfant. Puis une demi-heure s'écoula avant la naissance du deuxième, positionné en transverse. Quant au troisième, il s'agissait d'une présentation par le siège ; je dus alors pratiquer une « inversion ». Tout se déroula normalement par la suite. Le poids des bébés à terme, deux filles et un garçon, fut de 794 grammes (1 3/4 lb), 1 134 grammes (2 ½ lb) et 1 247 grammes (2 3/4 lb).

Sur tout le territoire desservi par l'Hôtel-Dieu de Gaspé, c'était la première naissance de triplés. Je dois vous dire que l'après-naissance ne fut pas de tout repos. Il me fallut installer les triplés avec des « bouillottes » et des draps chauffés. Après avoir consulté mes livres de nutrition infantile, je pus leur établir une alimentation précise. Comme je craignais pour la survie du bébé le plus fragile, je transformai le fourneau de la cuisine en incubateur de fortune. Finalement, ces bébés triplés demeurèrent en clinique, dans les meilleures conditions possibles, jusqu'à leur départ, alors que toutes les incertitudes quant à leur survie avaient disparu. Aujourd'hui, ils sont dans la trentaine et en excellente santé.

Le personnel

Si je peux citer tant d'événements extraordinaires survenus durant les dix-sept années d'activité de la clinique de maternité, c'est en grande partie grâce au service et au dévouement d'un personnel très attaché. Un vieil adage dit: «Autres temps, autres mœurs.» Il me serait difficile aujourd'hui de voir au fonctionnement d'un tel établissement en espérant faire appel à un groupe de personnes aussi vaillantes. Les exigences actuelles des travailleurs syndiqués me l'interdiraient. Pourtant, jamais je n'ai entendu quelque plainte que ce soit émanant des personnes que j'employais à la clinique. Elles ont toujours si bien servi la cause des mères gaspésiennes que j'accueillais! En maintes occasions, elles ont été mes autres mains, si indispensables! Maintenant, quand je pense à toutes ces femmes fidèles et dévouées, les larmes me viennent au cœur et aux yeux. Leur souvenir porte fièrement un nom inscrit à jamais dans ma mémoire: fidélité.

Quel beau témoignage de reconnaissance habite mon souvenir de toutes ces belles heures passées en compagnie de ces personnes dont les noms me sont si chers, entre autres, cette dame qui trouvait le moyen de s'occuper de la pouponnière tout en vaquant à la cuisine et à l'entretien de la clinique. Et cette autre femme extraordinaire qui, sans posséder son diplôme d'infirmière, pouvait me seconder et m'assister de main de maître dans les accouchements, les anesthésies, les soins à donner aux bébés naissants, les activités diverses du bureau, l'accueil et les soins apportés aux enfants lors des extractions dentaires, les pansements à faire et autres traitements, sans oublier sa coopération si efficace à la pharmacie et à la réception de la clinique. Et que dire des autres membres du personnel qui ont œuvré près de moi et qui m'ont servi si fidèlement ! À leur façon, avec beaucoup d'amour et de tendresse, ils ont gravé à jamais leur nom et leur mémoire dans le cœur et le souvenir de celles et ceux qu'ils ont connus, soignés et aidés à naître.

Le fonctionnement

La clinique de maternité représentait avant tout un lieu plus sûr pour les patientes qui cessaient d'être exposées aux imprévus de la température ou de la distance séparant leur demeure du cabinet de consultation du médecin. À juste titre, la clinique Saint-Martin entraîna un changement majeur dans la vie des femmes enceintes ou sur le point d'accoucher et dans celle de leur médecin qui ne se rendait presque plus à domicile pour y mettre les enfants au monde.

Entre autres choses, j'ai dû créer mon propre système d'admission à la clinique. La patiente, que je suivais depuis les débuts de sa grossesse, manifestait une grande confiance envers moi, dans la perspective d'un accouchement harmonieux où la communication serait beaucoup plus favorisée et facile. Un simple coup de téléphone suffisait pour confirmer son arrivée en clinique. Dès lors, elle recevait les soins requis et on procédait aux examens de routine afin de recueillir tous les renseignements nécessaires au registre d'admission : date probable de l'accouchement, signes vitaux, tension artérielle, position du bébé, et ainsi de suite. Je considérais d'une importance capitale que l'on puisse procéder assez rapidement au cas où la patiente aurait pu se présenter en état d'urgence : notamment, fausse couche, complications de grossesse imprévues, éclampsie. Ainsi, ce système fort simple en soi se voulait une approche compréhensive, où la patiente se sentait accueillie et en sécurité.

En outre, pour compléter ce système d'admission, j'avais ajouté un plan de rotation qui me permettait de faire alterner le plus possible, sans les bousculer, les femmes nouvellement accouchées et celles dont la grossesse touchait à sa fin. L'une des conditions essentielles pour venir mettre ses enfants au monde à la clinique était un suivi régulier de la future mère. À ce sujet, il y avait toute une éducation à mettre en place pour faire comprendre aux mères que, nonobstant la fameuse question du transport, il était très important qu'elles viennent périodiquement me rendre visite afin que je puisse déceler les problèmes à résoudre, le cas échéant, comme les césariennes ou encore une hospitalisation prématurée. Combien de fois la clinique a-t-elle constitué une planche de salut pour des cas presque désespérés, comme celui de cette patiente, arrivée en taxi, en douleurs d'accouchement! Elle aurait sûrement succombé à une hémorragie fatale si elle avait continué son voyage par la route de traverse du Portage, vers l'hôpital de Gaspé. Tout cela, grâce au flair du chauffeur de taxi : il avait jugé que le cas de cette femme était trop critique et qu'il valait mieux arrêter à la clinique Saint-Martin. Voilà encore une preuve qu'il y a un Bon Dieu pour les femmes enceintes! Dans le cas de cette dernière patiente, comme dans bien d'autres cas par la suite, la clinique Saint-Martin constitua un phare, une voie à suivre pour arriver à bon port.

Ainsi, les futures mamans se rendaient à la clinique et y attendaient l'heureux événement, le moment venu. Elles ne se retrouvaient pas dans une atmosphère d'hôpital, mais, bien au contraire, dans un foyer de maternité, sans trop de bouleversements majeurs ni de traumatismes, qui recréait le plus possible les meilleures conditions d'accouchement. Quant au médecin accoucheur, il se sentait beaucoup plus en sécurité et pouvait ainsi prévoir les situations obstétricales et gynécologiques d'urgence.

Les femmes pouvaient aussi se réunir autour d'une table et fraterniser, puisque très vite je préconisai le lever précoce après l'accouchement. Je crois que je fus l'un des premiers médecins accoucheurs à préconiser cette pratique post-partum. Auparavant, au temps de mon père, le séjour au lit oscillait entre sept et dix jours, ce qui était nettement trop long. Le lever précoce permettait d'éviter bien des problèmes post-puerpéraux, comme les phlébites et les fièvres, en plus de permettre à la femme accouchée de restaurer ses muscles plus rapidement et de profiter ainsi de bienfaits épatants et appréciés. De plus, dès leur inscription à la clinique, je conseillais à mes patientes une série d'exercices physiques visant à parfaire leur respiration, à favoriser leur relaxation en vue d'un possible accouchement naturel, sans aucune anesthésie, dans certains cas. Malheureusement, je n'ai pu réaliser ce programme comme je le désirais. Cela aurait grandement facilité l'accouchement et aurait répondu à plusieurs souhaits de mes patientes.

Aucun règlement de régie interne trop strict ou désagréable ne venait déranger ou briser cette quiétude de l'attente de la naissance. Les femmes venaient chez nous de leur plein gré ; elles y recevaient les soins requis par leur état et pouvaient nourrir leurs bébés en toute tranquillité, selon leur choix personnel, quoique j'aie toujours fermement encouragé l'allaitement maternel, largement facilité, il va sans dire, par l'ambiance qui régnait à la clinique : une atmosphère de détente créée par la diffusion de pièces musicales, où les femmes accouchées se sentaient et vivaient comme en leur milieu familial, en contact avec des personnes connues. Tout se partageait : les repas, les jasettes, l'accès à la pouponnière, sans règlements astreignants. Les femmes pouvaient aussi cuisiner leurs plats préférés, donner un coup de main à la lingerie, faire du tricot, de la lecture, écouter la radio et la télévision, entre autres activités. Au début de la clinique, j'ai désiré que cette maternité inspire confiance à mes patientes.

Dès la première consultation, je me faisais un devoir de les mettre au courant de l'organisation interne et du fonctionnement de l'établissement. Dans les cas plus rares d'accouchements difficiles et particulièrement douloureux, combien de fois je me suis assis aux côtés de la patiente et lui ai tenu la main, histoire de l'encourager et de lui faire comprendre qu'elle ne devait surtout pas désespérer, que je l'aiderais à passer l'épreuve qui l'affligeait ! Pour ce faire, je présentais l'enfantement comme un phénomène normal, j'expliquais que l'anatomie féminine se prêtait à cette belle et enrichissante expérience humaine. Dans certains cas, j'administrais du Démérol, un analgésique assez puissant pour soulager les patientes. Dès que possible, j'employais l'anesthésie, surtout si l'accouchement devait se prolonger, dans le but d'éviter de procéder à une épisiotomie (incision pratiquée près de la vulve pour empêcher une déchirure traumatique du périnée au cours de l'accouchement), ce qui était possible en prenant le temps nécessaire dans une telle situation.

Les statistiques

Quoique les cas imprévus aient été plutôt rares durant ma pratique médicale à la clinique, je puis affirmer que durant les dix-sept années d'activité, les statistiques furent fort éloquentes : aucun décès chez les femmes accouchant et très peu de bébés morts à la naissance, sauf quelques cas de bébés morts-nés à cause de maladies obstétricales incontrôlables. Le nombre de mères de famille accouchées se situait ordinairement entre cent et cent vingt-cinq par année. D'ailleurs, à ce titre, le registre des inscriptions était très précis, il contenait toujours les dates prévues pour chaque accouchement. Comme document précieux pour le fonctionnement de la maternité, il constituait une sorte de journal de bord où je notais tous les renseignements inhérents aux soins apportés à la mère et au nourrisson.

Grâce à ce registre, j'ai pu, enfin, déterminer, avec une certaine justesse, le moment tant désiré de mes vacances annuelles, bien qu'il me soit arrivé à plusieurs reprises de programmer un voyage en janvier et de devoir, par la suite, le reporter en mars, parce que je considérais comme primordial de maintenir la confiance de mes patientes. Je suivais attentivement le déroulement de leur grossesse et je me faisais un point d'honneur de les sécuriser quant à la date de leur accouchement. Au temps des accouchements à domicile, j'avais dû rayer le mot vacances de mon vocabulaire. Durant mes quatorze années de pratique, avant la création de la clinique, je ne pus profiter d'un tel repos.

Aujourd'hui, quand je me remémore ces souvenirs de pratique médicale, je pense en particulier à tous les risques encourus pour répondre adéquatement à ces cas d'obstétrique et de gynécologie, en des circonstances risquées parfois, sans oxygène ni banque de sang (je ne pouvais compter que sur le sérum) et toujours seul à me débrouiller. Même si les accouchements effectués à la clinique Saint-Martin comportaient moins de risques que ceux faits à domicile, je crois sincèrement que je ne pourrais plus travailler dans les mêmes conditions qu'autrefois. Je ne pratiquerais plus ces gestes de médecin accoucheur dans de telles situations tragiques et parfois effroyables. Elles sont désormais passées à la « petite histoire », ces heures de vocation médicale.

* *
*

La fermeture « prématurée et forcée » de la clinique Saint-Martin produisit un effet énorme sur les soins obstétriques que j'offrais aux patientes. Je ne pratiquai alors des accouchements qu'occasionnellement. Comme tant d'autres médecins que le régime d'assurance hospitalisation avait placés dans la même situation, l'âge aidant, je sentais que le temps me faisait signe du coin de l'œil en me disant : « Il est grand temps que tu penses un peu plus à toi, maintenant. »

L'évidence de la disparition à petit feu du médecin de famille et de sa vocation campagnarde m'apparaissait claire... La médecine « étatisée » et par spécialisation prenait la relève...

La fermeture

Ce n'est pas sans d'énormes et douloureux pincements au cœur que je me remémore les événements qui ont abouti à la fermeture de la clinique Saint-Martin. Dès sa mise en activité, le régime d'assurance maladie du Québec bouleversa bien des données dans le monde de la pratique médicale. Déjà trente ans s'étaient écoulés depuis le jour où, candidement, j'avais choisi d'exercer la médecine générale de campagne et succédé à mon père dans ce milieu gaspésien qu'il chérissait tant. Aujourd'hui, en jetant ce regard en arrière, je constate que ma pratique médicale a majoritairement été axée sur les soins gynécologiques et obstétriques et, occasionnellement, sur les soins généraux reliés à diverses spécialités.

À cause des normes de santé communautaire devenues très strictes et réglementées sévèrement, les cliniques et les hôpitaux privés furent appelés à disparaître, la plupart du temps sans raisons valables de la part des fonctionnaires de l'État chargés de ce dossier important. On créa les Centres locaux de services communautaires (CLSC), supervisés par le Centre régional des services sociaux et de la santé (CRSSS) et, avec les centres hospitaliers, chapeautés aujourd'hui par la Régie régionale de la santé et des services sociaux. Les CLSC remplacèrent les hôpitaux de campagne et les cliniques privées existantes.

Après dix-sept ans d'activité, avec un tableau-statistique incomparable, c'est avec beaucoup de regrets et de larmes que je dus fermer ma clinique d'obstétrique. De nouvelles directives gouvernementales, politiques avant-gardistes sorties tout droit du rapport Castonguay-Nepveu, et de nouvelles normes sans recours ne faisaient pas de quartier. Indéniablement, je ne pouvais engager des infirmières qui prendraient la relève toutes les huit heures, sans augmenter le coût clinique des soins reçus en résidence. Mais durant toutes ces années de fonctionnement à plein régime, ni plainte ni recours en justice ne furent portés contre la clinique Saint-Martin, que ce soit concernant la tenue de l'institution, l'entretien, les mesures sécuritaires (feu, vol, etc.) ou les soins médicaux reçus.

Un certain jour de décembre 1971, sans enquête ou étude préalable du fonctionnement interne de la clinique de maternité Saint-Martin, la décision irrévocable tomba comme un couperet : on m'enjoignit de cesser mes activités médicales à la clinique Saint-Martin. (Voir la lettre de M. Castonguay reproduite à l'annexe 2.)

Je dois avouer que cette transition non planifiée et extrêmement brusque me fit mal. Du jour au lendemain, on nous apprenait que les accouchements ne relevaient plus désormais de notre compétence. À sa manière, le gouvernement du Québec, par l'entremise du ministère des Affaires sociales, décrétait qu'il ne nous serait plus possible de nous sentir fiers, heureux et réconfortés d'aider tant de mères de famille à accoucher et à donner naissance à leurs enfants.

Il faut avoir connu l'attente, le réconfort et même la joie de toutes ces femmes gaspésiennes, de même que leur désarroi et leur angoisse, pour comprendre ce que leur médecin accoucheur représentait pour elles, lors de leur accouchement : aide, assistance, écoute. Tout cela était maintenant révolu. Le médecin de campagne, de famille, le conseiller, l'homme au visage médical humain n'avait plus voix au chapitre. Dorénavant, des lois rigides, fonctionnelles et «progressistes» prenaient en main les destinées de la médecine traditionnelle québécoise. Une page importante et nostalgique de l'histoire médicale était irrémédiablement tournée, laissant derrière elle une marée de souvenirs, tous aussi beaux et mémorables les uns que les autres, comme ces mères qui m'affirmèrent que leurs plus beaux accouchements s'étaient produits à la clinique Saint-Martin.

Dans le cahier « Tendances » du quotidien *Le Soleil*, le dimanche 11 juillet 1993, le journaliste Jacques Drapeau rapporte quelques propos de personnalités médicales québécoises, dans un article intitulé : « Le médecin de famille. Une espèce en voie de disparition ». Je vous en cite quelques extraits :

> *Le médecin doit savoir saluer et se présenter. Il doit aussi respecter les valeurs de ses patients et savoir les toucher par des gestes appropriés. C'est pour le patient que nous sommes médecins. (Docteur Marcel Boulanger, directeur des services professionnels de l'Institut de cardiologie de Montréal.)*

> *Un bon médecin de famille ne s'occupe pas seulement du corps, mais cherchera à situer la personne dans son contexte familial et social. (Docteur Denis Saint-Pierre, médecin de Cap-Rouge.)*

> *La médecine moderne ne soigne plus des individus mais des organes malades. C'est dans le rapprochement avec le malade que réside l'avenir de la médecine. Aujourd'hui, tout comme à l'époque d'Hippocrate, lorsque, par ses attitudes, son comportement et sa parole, le médecin rejoint le malade comme personne, le geste médical est interprété par le malade comme une action bénie des dieux. (Docteur Hubert Doucet, doyen de la Faculté de théologie de l'Université Saint-Paul à Ottawa.)*

Vingt-deux années séparent la fermeture de la clinique Saint-Martin de la parution de cet article du quotidien *Le Soleil*. Bien entendu, le régime

d'assurance hospitalisation et de maladie du Québec a amené le progrès et a révolutionné le monde
de la médecine québécoise. Mais on peut se poser la
question suivante : A-t-il tenu compte de la fragilité
des gens qui souffrent et qui ont tant besoin qu'on
leur chuchote à l'oreille qu'on les aime et que l'on
va tout tenter pour les guérir et les soulager ?

Le médecin de famille, lui, en parcourant les
campagnes, prenait le temps de s'arrêter et
d'ÉCOUTER...

Chapitre V

Mon implication sociale
à Rivière-au-Renard

*C'est beau d'avoir élu domicile
vivant et de loger le temps
dans un cœur continu...*

*... C'est beau d'avoir confié
le monde à sa mémoire...*

*... C'est beau d'avoir donné
visage à ces mots : femmes,
enfants et d'avoir atteint
l'âme à petits coups de rame...*

*... C'est beau d'avoir senti l'âge
ramper sur le corps nu et
accompagner la peine du sang
noir dans nos veines...*

*... C'est beau d'avoir senti la
vie hâtive et de l'avoir
enfermée dans la poésie des jours...*

D'après Jules Supervielle, *Poèmes*

Mon amour pour la Gaspésie et ses gens

Il est de ces souvenirs qui peuplent notre mémoire et notre cœur de façon si profonde qu'ils imprègnent notre vie de marques indélébiles, transparentes et pures comme le cristal des eaux de rivières : rencontres de personnes inoubliables, aventures inscrites dans le livre des heures à raconter, lectures apaisantes, capables de capter le temps, de le prier de faire halte dans la mémoire.

Ils sont là, en rangée, ces souvenirs si vastes. Et même si beaucoup ne seront jamais écrits parce que trop paisibles dans leurs habits ou trop usés pour plaire encore, il en reste quand même qui ont forme de déférence. Au moment où j'écris ces lignes, je viens de refaire la lecture de ce magnifique texte poétique de Georgette Lacroix, intitulé «Gaspésie»*. Je vous le cite :

GASPÉSIE

Suis venue pour chanter
Le pays de la mer, de la brume et du vent
l'air salin plein d'odeurs et d'appels infinis
le ciel vaste et l'espace
l'aigle gris, la mouette et le fou de Bassan
la morue à sécher à perte d'horizon
et le brun goémon qu'apportent les marées...

Suis venue pour chanter
les rochers à fleur d'eau et le phare allumé
les barques échouées dans l'anse taciturne
les courants généreux et les bonnes captures
et tous ces oiseaux blancs...
que la houle en chantant
fait danser sur son dos...

Suis venue pour chanter
le clocher solitaire au bord de l'océan

---

* Extrait de *Au rythme de la Gaspésie*, Anthologie poétique, 9e édition, Collège de la Gaspésie, Gaspé.

l'hirondelle de mer
et ces filets troués posés sur les battures
les croix de fer debout sur le flanc des
montagnes
le varech des rivages
l'été plus court que la saison...

Suis venue pour chanter le cap et la vallée
la forêt, la rivière et ceux qu'elles font vivre
la pêche au bout du quai ou l'aventure au
large...

Suis venue pour chanter
l'espoir ou le courage
le travail, la patience à longueur de vie
d'homme...

Suis venue rencontrer
l'artisan, le pêcheur, le rude paysan
l'enfant libre au soleil et l'aïeul au repos
le loup de mer à sa retraite
et le vieux raconteur d'aventures vécues...

Suis venue leur parler
un langage amical
leur dire avec mes mots et mon rire et mon
cœur
que j'aime ce pays,
leur pays, mon pays...

J'ai tout aimé de la Gaspésie. Et aujourd'hui,
j'ai pour l'écrire, non pas mes mémoires, mais bien
ma vie active et ses rappels. Au rythme des sai-
sons, que de fois j'ai pu admirer ses montagnes et
le ciel pur qui les surplombait en laissant éclater

sa luminosité sur les eaux d'azur et d'émeraude aux horizons doux comme une musique.

À travers ses différents visages, j'ai pu comprendre largement combien ses mères ont su, à travers peines et misères, au milieu de la douleur parfois, aimer si tendrement leurs fils et leurs filles, ces êtres garants de son avenir...

Oui, je l'ai aimée tendrement, la Gaspésie, à ma manière, durant toutes ces années de pratique médicale... comme un père aime les fils et les filles qu'il a engendrés dans sa jeunesse. Je l'ai aimée parce que je comprenais que son avenir se lisait, en énergie et en vaillance dans le regard impatient et souriant des enfants que je mettais au monde.

Et que dire de ses traditions, de ce regard tendre que nous livrait cette terre des ancêtres, redonnant vie, souvenir à tout notre être, à chaque heure du jour et de la nuit, par vents, orages et neiges...

Comme une femme qui aime déjà depuis si longtemps l'enfant qui veut sortir de son ventre et la fait souffrir parfois, j'ai travaillé pour la Gaspésie, j'ai soigné et soulagé son corps malade. Et comme je me suis réjoui de voir paraître au grand jour le fils ou la fille qui naissait alors !

Je l'ai aimée, la Gaspésie, les mains tendues pour soigner et guérir, par mon cœur et par mon sang. Je l'ai aimée d'un amour qui m'a pris bien des forces et du travail. Et maintenant, au fil des jours, quand il m'arrive de laisser pleurer mon cœur, je me rappelle les événements de ce livre de ma vie qui logent dans un coin de mes souvenirs, à l'enseigne de la tendresse. Ils m'ont tout appris... et... parfois, j'en tourne les pages.

Au cours de toutes ces péripéties et ces jalons de parcours, comme je regrette de n'avoir pas pris de notes pour me faciliter la route de la mémoire et de mes activités médicales. Les retours ne sont guère faciles. Et quand il s'agit de se dire, de se décrire, de raconter un pays, un domaine bien précis, cela prend une coloration originale dont il faut observer les règles. Un paysage de vie possède ses propres perspectives, ses propres lois. Ma vie médicale regorge de ces rebondissements qui ont bouleversé mon parcours et celui des gens que j'ai côtoyés.

Un jour, presque obligatoirement, ma vie devait déboucher sur mon engagement politique. Aimer la Gaspésie, c'était aussi cela : avoir à cœur son développement social, culturel et économique, à commencer par ma propre municipalité, Rivière-au-Renard.

La vie municipale

La mise sur pied de la clinique de maternité Saint-Martin et les services pharmaceutiques offerts aux résidents de ce territoire magnifique que je desservais depuis si longtemps, répondaient amplement aux besoins en soins médicaux et médicamenteux. Fort heureusement, cette portion de ma vie publique que je relate maintenant ne se situe pas dans cette période de ma vie où je devais être disponible pour parcourir les grandes étendues de ce territoire à conquérir, présentant des conditions atmosphériques et économiques peu favorables.

Je me devais de franchir la barrière qui me séparait du rôle d'homme public qui m'attendait sur la scène municipale et ailleurs. Sans négliger ma vie médicale active, j'avais à cœur le développement municipal. Et je dois avouer que ce domaine m'intéressait énormément.

D'ailleurs, tout concourait à m'imprimer un mouvement irréversible vers ce nouveau défi à relever. Au cours de mes randonnées à parcourir le territoire, lesté de mon éternelle et inséparable trousse, chaque maison me racontait son histoire, que ce soit en sillonnant la route panoramique du parc Forillon ou les côtes sinueuses et abruptes du littoral nord. Que de témoignages m'ont été ainsi livrés, en habits du dimanche, enrubannés de reconnaissance et de tendresse, avec des mots sortis tout droit du cœur de chaque intervenant, dans des endroits publics, sur la rue, en visite chez des gens malades :

> « Docteur, vous ne vieillissez pas ! »
> « Docteur, c'est vous qui m'avez mis au monde ! »
> « Docteur, c'est vous qui avez donné naissance à mes enfants à la clinique Saint-Martin ! »
> « Docteur, c'est vous qui avez réparé ma jambe cassée ! »
> « Docteur, vous vous rappelez lorsque je vous ai amené avec mon cheval au Cap-des-Rosiers ? Y en faisais-tu une "tannante" de tempête ! »

On comprend facilement que ces témoignages m'allaient droit au cœur. Cette forme de langage issue de profonds sentiments de gratitude revêtait ses habits de lumière, de louange et de prière. Ces touchantes anecdotes de vie, ces souvenirs réconfortants me comblaient l'âme au point où, un bon jour, ma décision prit nettement forme dans mon esprit : me lancer en politique municipale, histoire de m'engager davantage et d'améliorer, si possible, les conditions de vie de ces gens que j'aimais tant.

Comme je l'ai déjà mentionné, la fermeture de la clinique Saint-Martin changea radicalement ma pratique médicale. Je ne procédais alors à des accouchements qu'en de rares occasions et mon cabinet de consultation fonctionnait à des heures régulières. L'ère des pratiques médicales à toutes heures semblait pour le moins révolue, même si, un appel d'urgence et hop !, je repartais de plus belle. Cependant, malgré mes nouvelles fonctions municipales, mes patients conservaient leur priorité, en cas d'urgence, même lorsque le conseil municipal était en pleines délibérations.

Auparavant, je n'avais pu bénéficier de périodes de temps valables pour mettre à exécution des projets personnels. Mais ma décision était prise. Comme bien d'autres médecins de campagne, cette incursion dans le domaine des affaires municipales et cet intérêt pour le développement économique, culturel, social et sportif de ma région immédiate combla mes attentes : durant neuf années, à titre de maire de Rivière-au-Renard, je présidai aux destinées de la municipalité. Je me souviens qu'elle a même eu droit à une première :

135

lors de mon élection, j'avais fait appel à des femmes pour transporter en automobile les électeurs au bureau de votation.

C'est au cours de l'un de ces mandats populaires que je fus élu préfet de comté. Par la suite, je devins directeur de l'Union des conseils de comté. À ce titre, je peux me vanter d'avoir obtenu que l'un des importants congrès de cet organisme se tienne à Percé, l'un des chefs-lieux de la Gaspésie et siège de l'une des divisions judiciaires de la région. Cette rencontre sans précédent constitua presque une mine d'or pour le village de Percé, dont les attraits touristiques indéniables donnèrent l'impulsion nécessaire et le coup d'envoi à l'industrie touristique que la Gaspésie connaît aujourd'hui. (Percé n'avait pas encore obtenu son statut de ville à cette époque.)

Mes années à la présidence du conseil municipal me permirent de mettre sur pied, entre autres, un système de protection des citoyens, en cas de conflits de toutes sortes, feu, vol, accidents, chicanes, entre autres. La municipalité engagea un policier et fit construire un local où on pouvait détenir un individu ayant commis un acte répréhensible, en attendant sa comparution devant les autorités judiciaires.

D'autre part, la vie municipale me donna aussi l'occasion de prendre position sur les grands problèmes économiques qui secouaient la région. Je me souviens d'avoir soumis une résolution au gouvernement relativement aux travaux d'hiver répartis sur le territoire et sur la piètre situation économique d'une grande majorité de la population, réduite à recourir à l'assistance sociale. (Voir le texte reproduit à l'annexe 3.)

Bref, la vie politique municipale fourmillait d'événements de toutes sortes et de prises de position qui bouleversaient bien des données. Ainsi en était-il de l'évolution du milieu et de la marche des années.

* *
*

En plusieurs occasions, mon poste de premier magistrat m'accorda l'insigne privilège de rencontrer des personnalités illustres de l'époque. Déjà, lors de mes études universitaires, j'avais eu l'immense honneur de côtoyer le président des États-Unis, M. Theodore Roosevelt, venu à Québec pour la tenue de la fameuse conférence réunissant deux autres grands chefs d'État, MM. Winston Churchill et William Lyon Mackenzie King. Cet événement politique d'envergure s'est déroulé au Château Frontenac, en août 1943.

Plus tard, en 1956, nous avons eu l'immense plaisir de célébrer le centenaire de la paroisse de Rivière-au-Renard. Comme président de ces belles fêtes, j'en ai profité pour inviter un bon nombre de personnalités à venir nous rendre visite. À titre de maire, en compagnie des autres membres du conseil municipal, nous avons accueilli, avec tout le respect dû à leur rang, l'Honorable Vincent Massey, gouverneur général du Canada ; M. Camillien Houde, le célèbre maire de Montréal ; M. Daniel

Johnson, chef de l'Union nationale; M. René Lévesque (mon confrère d'études classiques au Séminaire de Gaspé durant quelques années); le violoniste acadien de réputation internationale, monsieur Arthur Leblanc et son célèbre violon Stradivarius, du nom du luthier italien de Cremone qui a fabriqué cet excellent violon de grand prix qu'utilise maintenant une jeune violoniste québécoise connue internationalement: Mme Angèle Dubeau. D'ailleurs, en 1949, en compagnie du docteur Wilbrod Cormier, médecin traitant au centre hospitalier Sanatorium Ross de Gaspé, j'ai eu l'immense bonheur de recevoir chez moi ce grand artiste et musicien qu'était Arthur Leblanc. Il passa une soirée et une bonne partie de la nuit à nous interpréter ses plus belles pièces.

Plusieurs autres personnalités de marque vinrent séjourner à Rivière-au-Renard et leur visite coïncida avec les fêtes du centenaire paroissial. Entre autres grands noms, il y avait l'écrivain Claude-Henri Grignon, le célèbre auteur du roman *Un Homme et son péché*, radiodiffusé d'abord par la Société Radio-Canada et tourné ensuite en images sous le titre *Les Belles Histoires des pays d'enhaut*, lors de l'avènement de la télévision d'État en 1952. Par la suite, nous sommes devenus de très bons amis. (Voir la lettre reproduite à l'annexe 4.)

Jamais non plus je n'oublierai cette visite remarquable que l'Honorable John Diefenbaker, chef du Parti progressiste-conservateur, effectua dans notre municipalité, lors de sa tournée électorale fédérale au Canada, en 1957. Il fut reçu en nos murs avec tous les honneurs dus à son rang et prononça un discours mémorable. Il gagna ensuite l'élection fédérale et devint premier ministre du Canada. À l'occasion de son accession à ce poste prestigieux de chef de l'État canadien, je lui adressai mes vœux de sincères félicitations à titre de maire. (Voir sa lettre de réponse reproduite à l'annexe 5.)

Mes fonctions de coroner

La scène politique, il me faut l'avouer, avait toujours exercé une vraie fascination sur moi. Avant d'être reçu médecin, j'avais eu l'honneur de connaître le docteur Camille-Eugène Pouliot et de travailler à ses côtés comme auxiliaire médical à Cap-d'Espoir. J'avais donc fréquenté la bonne école. Hormis la scène municipale, ma participation active aux politiques fédérale et provinciale se limita aux campagnes électorales au cours desquelles, comme tous mes concitoyens, j'attrapais la fièvre des élections chaque fois que les gouvernements appelaient les citoyens aux urnes.

Cependant, ma vie médicale intense me laissant peu de répit, je dus cesser toute participation active à cette vie politique, pourtant si alléchante et trépidante.

Toutefois, je m'intéressais à un autre domaine qui exigeait aussi beaucoup de besogne, de réunions importantes et qui, surtout, comportait des responsabilités très graves : durant quinze années, j'ai cumulé les fonctions de coroner. En ce sens, je marchais dans les mêmes sentiers que mon père, puisqu'il avait déjà rempli ce poste, surtout dans la délicate et célèbre affaire du meurtre, le 3 août 1933, des sœurs Maud et Margaret Ascah, survenu à Penouille, petite agglomération de descendants loyalistes, située sur les flancs du versant sud de l'actuel parc Forillon. Cette affaire de disparition d'abord et de meurtre sordide ensuite fit grand bruit à l'époque et m'impressionna fortement, puisque de tels événements incroyables étaient rarissimes à cette époque, surtout en Gaspésie.

Plus tard, en 1982, la romancière Anne Hébert remporta le prix Fémina avec son roman *Les Fous de bassan*. Dès sa parution, les critiques québécois affirmèrent dans les journaux que les Gaspésiens avaient cru y reconnaître les principaux événements reliés à cette affaire criminelle vieille de plus de cinquante ans. La romancière riposta alors que son histoire romancée était «sans aucun rapport avec aucun fait réel ayant pu survenir entre Québec et l'Atlantique» (Journal *La Presse*, le dimanche 20 décembre 1992).

Ainsi, en acceptant ce poste important de coroner, je savais pertinemment que je serais appelé à enquêter et à élucider des affaires sombres. Je ne croyais pas si bien penser. Plusieurs événements très importants survinrent durant ces dix-sept années, où je dus consacrer de longues heures à questionner, à revoir des dossiers, à fouiller et à accumuler les preuves visant à établir la vérité et à remettre le ou les coupables dans les mains des autorités policières pour qu'elles procèdent à la poursuite de l'enquête et du procès, le cas échéant, devant une cour de justice.

Citons tout d'abord le tragique et épouvantable accident aérien du DC-3 de la compagnie Rimouski Airlines, le 24 juillet 1948. Parti de l'île Anticosti avec vingt-neuf passagers à son bord, il se dirigeait vers l'aéroport de Penouille. Par temps brumeux, alors que le pilote manœuvrait pour faire son approche d'atterrissage, l'avion heurta la crête des montagnes du cap Bon Ami et plongea tous ses malheureux passagers dans une mort atroce, l'avion se consumant en flammes.

Dans la *Revue d'histoire de la Gaspésie*, de juillet-septembre 1963, volume 1, numéro 3, à la page 146, quinze ans après la tragédie, Claude Allard rappelle que l'extrémité de la péninsule de Gaspé avait été témoin d'une épouvantable tragédie de l'air. En voici quelques extraits :

> *Déjà la rumeur circule qu'on a entendu un grand bruit venant de la montagne qui domine le plateau de Grande-Grève. L'heure de ce bruit concorde avec le moment du départ de l'île Anticosti et les appels reçus de l'avion. La certitude d'une catastrophe se précise.*

> *[...] Le groupe revenu de Grande-Grève apprend d'un résident de l'endroit qu'on a découvert ce qui reste du DC-3. La fumée qui se dégage encore, malgré plus de douze heures de pluie, révèle que c'est à environ deux milles de la route carrossable de Grande-Grève que l'avion a percuté la montagne. On est à trois milles à peu près de la pointe du Cap-Gaspé. Sur des milliers de pieds de distance, l'oiseau de métal*

a coupé la cime des arbres avant de s'effondrer dans un fracas final.

[...] Le Canada vient de connaître le pire accident de l'air de son histoire.

Par ailleurs, l'une des plus pénibles enquêtes que j'ai eu à effectuer fut, sans contredit, l'horrible tragédie qui coûta la vie à l'épouse de mon confrère médecin à Rivière-au-Renard, le docteur Antoine Roy, ainsi qu'à cinq de ses six enfants. Ils devaient périr dans l'incendie de la demeure familiale. Ce deuil affecta énormément la paroisse de Rivière-au-Renard et celles des alentours. Le docteur Roy était un médecin aimé et respecté de la population.

J'ai également procédé à plusieurs autres enquêtes, toutes aussi importantes les unes que les autres, tels les décès occasionnés par des accidents de travail mortels, en particulier chez les travailleurs de la mine de cuivre de Murdochville. À la suite de mes recommandations, les mineurs ont pu obtenir la protection de la Loi sur les accidents de travail, une protection importante s'il en est une, un grand pas en avant qui améliora de façon certaine la santé et la sécurité des travailleurs sur les chantiers de construction, dans les mines et à bord des bateaux de pêche.

En 1957, lors de la fameuse grève minière de Murdochville, les ouvriers avaient formulé une demande de reconnaissance de leur syndicat affilié aux Métallurgistes unis d'Amérique et à la Fédération des travailleurs du Québec. Les travailleurs miniers de la compagnie Gaspé Copper Mines quittèrent leur travail en mars pour protester contre le congédiement de leur président. Les autorités considérèrent leur grève comme illégale, et la compagnie embaucha alors des briseurs de grève. Et pour que ces ouvriers illégaux puissent franchir les piquets de grève, les dirigeants demandèrent la présence des policiers provinciaux, ce qui eut pour effet d'engendrer des scènes de violence regrettables. Quant au gouvernement, son attitude consista à prendre carrément position en faveur de la compagnie minière à plusieurs reprises, en dénonçant le caractère illégal de la grève.

On m'approcha alors officieusement pour jouer le rôle de médiateur entre les deux parties farouchement opposées dans ce conflit patronal-syndical. Finalement, ce fut Mgr Albini Leblanc, évêque du diocèse de Gaspé, qui fut désigné comme médiateur dans cette affaire délicate. Cependant, tout au long du déroulement de cette pénible période d'affrontements violents, je gardai des contacts très étroits avec tous les ouvriers miniers de mon territoire ainsi qu'avec les autorités de l'entreprise minière de Murdochville, histoire de rassurer la population inquiète des proportions que prenait ce conflit.

Mais, de toutes les enquêtes que je dus mener comme coroner, la plus inoubliable fut sans doute la désormais célèbre affaire Coffin. Que dire, même aujourd'hui, d'une telle affaire de meurtre? Jacques Hébert en a longuement parlé dans son volume *J'accuse les assassins de Coffin*, et un film largement répandu et visionné par des milliers de personnes fut tourné relativement à cette affaire judiciaire ténébreuse. Il s'agissait, en effet, du plus important crime à laisser tant de questions sans réponses, après le verdict final, puisque Wilbert Coffin fut jugé coupable et pendu pour l'assassinat de trois Américains venus chasser l'ours dans la forêt gaspésienne.

Comme coroner, mon enquête m'en apprit plus que tout autre sur les circonstances et les faits entourant cette affaire de meurtre. Encore aujourd'hui, je demeure convaincu que Coffin n'était pas l'assassin des trois Américains. Mais je n'ai pas les preuves pour justifier cette assertion.

En tant que coroner, je fus la seule personne à interroger Coffin, lors de ma première enquête. Par la suite, lors des autres interrogatoires, il s'abstint de répondre aux questions et même de parler. Ce qui est le plus troublant, c'est que les notes dactylographiées par la secrétaire de la police provinciale du bureau de Gaspé et incluses dans mon rapport final ne furent jamais reproduites et on ne put les retracer par la suite. Quelqu'un les avait-il enlevées du dossier? On ne le saura jamais. Compte tenu de la responsabilité importante qui m'incombait, je crus bon d'en avertir le procureur général de la province de Québec, maître Antoine Rivard, que je rejoignis à son chalet d'été, à Rivière-du-Loup.

Une enquête aussi importante nécessita la composition d'un jury choisi parmi les personnes les plus influentes de Gaspé et des environs. Évidemment, le présumé meurtrier des trois Américains se trouvait dans la salle publique de Gaspé où se déroulait cet événement judiciaire incroyable. Les membres du jury me rappelèrent alors pour élucider une question ambiguë avant de rendre leur verdict de culpabilité. C'est à ce moment que je me rendis compte que l'affaire Coffin m'échappait des mains, que des interventions de haut calibre avaient eu lieu, puisque, lors de ma première enquête, un verdict préalable avait été rendu par le même jury, à l'effet que Coffin ne pouvait être tenu criminellement responsable de ces trois meurtres uniquement sur des preuves circonstancielles. Est-ce que la justice a été bien rendue dans ce cas?

Avant sa pendaison, au moment où on lui passait la corde au cou, cet homme aurait dit: «Je suis innocent!» Dans le petit cimetière de York, à Gaspé, une simple pierre tombale indique le lieu où Wilbert Coffin repose à jamais. On y a inscrit, en langue anglaise, les simples paroles bibliques suivantes: «Judge not that ye be not judge.» [Ne jugez pas si vous ne voulez pas être jugés.]

Comme le prouvent ces quelques rappels d'affaires accidentelles, ouvrières et policières, la tâche de coroner comportait de lourdes responsabilités. Pour un médecin de campagne comme moi, il fallait être honnête en toutes choses et apte à remplir les obligations inhérentes à un tel mandat, de façon bilingue, dans des causes de justice. Mon travail de coroner ne fut pas toujours facile et reconnu. Mais je l'ai accompli avec honneur, esprit de justice et courage, tout au long des années que dura cette responsabilité précise, que ce soit à

Rivière-au-Renard, à Gaspé, à Murdochville ou ailleurs.

Les activités sociales

Mes années consacrées à la vie municipale m'avaient clairement démontré l'importance que l'on devait accorder aux loisirs et aux activités de la jeunesse répartie sur le territoire que je desservais, en particulier dans la municipalité de Rivière-au-Renard. J'avais à cœur de leur offrir un point de ralliement, un lieu de rencontre qui favoriserait un climat social plus accueillant, plus moderne et mieux adapté à leurs goûts et préférences.

Il faut dire que je n'avais aucunement besoin d'être sensibilisé à l'importance des sports et de l'éducation physique dans la vie d'un individu. Durant de nombreuses années, à cause des exigences de plus en plus grandes de ma pratique médicale, je dois avouer que je ne pus faire de sport comme je le faisais au cours de mes années de vie étudiante. Mes conditions de travail ne favorisaient guère ce genre d'activité physique, mis à part quelques exercices de culture physique, de rares excursions de chasse et pêche, la marche dans des sentiers forestiers, des randonnées de ski de fond et de raquettes, surtout, dans ce cas, pour la pose de collets à lièvres. J'étais bien conscient de l'urgente nécessité de mettre en place des structures visant à instaurer un système de loisirs bien organisé. Je considérais comme primordial que les jeunes puissent évoluer et grandir dans un cadre municipal de loisirs à leur mesure, afin qu'ils puissent s'épanouir et donner vie à ce vieil adage latin : «*Mens sana in corpore sano.*» [Un esprit sain dans un corps sain.]

Pour ce faire, on procéda d'abord à la mise en place d'une politique précise concernant les loisirs municipaux, qui déboucha sur l'aménagement d'une patinoire et de l'installation nécessaire pour la pratique du patinage et du hockey ; ces premières constructions sont les ancêtres des infrastructures modernes actuelles dans la région. Que de parties mémorables furent chaudement disputées, mettant aux prises le club Renard et les autres équipes avoisinantes, dont le club Saint-Martin, les Météores de Pointe-Jaune, les Feuilles d'érable de Saint-Yvon, les Étoiles de Petit-Cap !

Dans mes rares temps libres, je consacrais mes heures à lire des revues et des articles à caractère médical. Je me documentais au sujet des approches et des thérapies nouvelles. Je me tenais constamment à la page dans ces domaines, en plus d'écrire régulièrement des textes pour les journaux et les revues spécialisées de médecine, d'assister à de nombreux congrès et réunions en compagnie d'autres confrères médecins.

L'aspect social de l'individu m'apparaissait donc tout aussi important que l'aspect physique. Un corps sain nécessite aussi un développement culturel et social adéquat. Mis à part les organisations de fêtes familiales — mariages, baptêmes, Noël, jour de l'An, Pâques —, les lieux de rencontres sociales, paroissiales ou municipales étaient insuffisants ou carrément inexistants pour répondre aux besoins d'une jeunesse montante plus exigeante. C'est donc pour accéder à une telle demande que je mis sur pied une organisation longtemps reconnue comme le seul centre de rendez-vous et d'amusements sur la côte gaspésienne. Cet établissement de loisirs fut coiffé du nom de Cabestan, une raison sociale dûment enregistrée auprès des instances gouvernementales. Pourquoi avoir choisi ce nom pour cette entreprise? D'abord parce que c'est un vieux terme typique connu des pêcheurs de la côte : un treuil à axe vertical utilisé par eux pour « haler » les « flats » (chaloupes bordées à fond plat et à rames) et les « barges » sur la grève. Les vieux loups de mer du territoire utilisaient plutôt le mot déformé « cabastran ».

La mise sur pied de cette entreprise de loisirs ne se réalisa pas sans heurts. Plusieurs personnes déploraient la création d'une telle organisation. Malgré ces « bâtons dans les roues », le Cabestan ouvrit ses portes et offrit ses services à la population du territoire et d'ailleurs.

J'avais pris grand soin à préparer moi-même les plans et devis de cette construction qui fut édifiée par des constructeurs locaux. La bâtisse mesurait trente-sept mètres de longueur et quatorze mètres de largeur. Elle abritait une salle de danse au rez-de-chaussée, ainsi que quatre allées de quilles et une aire de jeu au sous-sol, avec plusieurs « machines à boules », une innovation dans le temps.

Encore aujourd'hui, plusieurs personnes se souviennent des fameuses danses populaires avec des groupes musicaux réputés qui en rehaussaient l'atmosphère. Même les parents venaient danser au Cabestan avec leurs jeunes filles. Plusieurs d'entre elles d'ailleurs y ont fait des rencontres qui aboutirent au mariage. Ce centre de rendez-vous offrait donc toute une gamme d'activités nécessaires pour les jeunes et les plus vieux, devenant ainsi un très bon lieu de distraction, de relaxation et où l'exercice physique occupait une place d'honneur. Le dimanche, on dressait même un ring de boxe et de lutte pour les adeptes de ces disciplines sportives. Quelquefois, des vedettes connues venaient partager les programmes offerts au public.

Malheureusement, un incendie rasa complètement le premier édifice qui fut reconstruit par la suite. On y retrouvait les mêmes activités au sous-sol; la salle de danse fut toutefois convertie en restaurant avec salle de réception pour les banquets et mariages, avec des services de pharmacie adjacents. Le Cabestan accueillait en grand nombre cette belle jeunesse du coin, venue, entre autres, au cinéma dans l'une des deux salles de projection de la paroisse: les cinémas Cartier et Saint-Martin.

Ces installations du Cabestan furent de nouveau détruites par le feu, y compris la pharmacie adjacente très moderne, dont les services n'avaient rien à envier à ceux des villes. Le Cabestan perdit donc sa vocation première de lieu de rassemblement de la jeunesse. Avec la création de la clinique Saint-Martin, j'offris de nouveau des services pharmaceutiques à la population.

Les années se suivaient et ne se ressemblaient pas. Je sentais bien que la population que j'avais servie avec le plus de vérité et de sincérité possible, évoluait rapidement et entrait de plain-pied dans l'ère de la révolution tranquille, cet État-providence que nous offrait si allègrement le gouvernement québécois. Je ne me trompais pas. Le 19 décembre 1970, la loi 67, préparée par Maurice Tessier, ex-maire de Rimouski et ministre des Affaires municipales dans le gouvernement Bourassa, fut sanctionnée par l'Assemblée nationale, créant ainsi la grande ville de Gaspé, la plus grande municipalité en étendue dans toute l'Amérique du Nord, fruit de la fusion de douze municipalités du territoire : Baie-de-Gaspé-Sud, Grande-Grève, Haldimand, l'Anse-au-Griffon, Rivière-au-Renard, Saint-Alban-de-Cap-des-Rosiers, Sainte-Majorique, York, Saint-Maurice-de-l'Échourie, Cantons de la Baie-de-Gaspé-Nord et de Douglas, Ville de Gaspé (ancien territoire).

Cette annexion forcée me poussa à lutter ouvertement par des écrits, des prises de position fermes, des assemblées publiques de la ligue des citoyens et du conseil municipal. Ce fut peine perdue. Il y aurait toute une thèse à écrire aujourd'hui pour les férus de petite histoire sur les impacts réels d'une telle fusion, de ses bienfaits ou encore des difficultés qu'elle a engendrées. L'avenir nous dira si l'essor économique et le développement culturel et social du territoire visé par la loi 67 devait obligatoirement passer par la fusion de douze municipalités en une seule.

Quant à moi, las de tant de travail médical, de prises de position de toutes sortes sur la scène politique municipale et comme coroner, face aux changements majeurs de la société que j'appréhendais pour les décennies quatre-vingt et quatre-vingt-dix, je commençais à sentir le poids des années et la fatigue m'envahir. Je me devais de penser sérieusement à ma santé, en un mot, accepter de me réserver un peu plus de temps...

Un soir que je me trouvais dans mon cabinet, une musique de détente remplissant la pièce pendant que je mettais de l'ordre dans mes dossiers médicaux, mes yeux se portèrent soudain sur le globe terrestre placé sur ma bibliothèque. Songeur, je me pris alors à rêver de voyages, de musique, d'aventures et d'écriture, autant de choses que j'avais si longtemps désiré faire et que j'avais négligées, faute de temps. L'heure de la retraite était venue et, avec elle, la perspective de bien belles heures à remplir de souvenirs et à m'envahir la tête et le coeur.

Déjà, l'automne était là et frappait résolument à la porte de ma vie...

Chapitre VI

Mes années d'or

Et que j'aime, ô saison, que j'aime tes rumeurs
Les fruits tombant sans qu'on les cueille
Le vent et la forêt qui pleurent
Toutes les larmes, en automne, feuille à feuille

> *Les feuilles*
> *Qu'on foule*
> *Un train*
> *Qui roule*
> *La vie*
> *S'écoule...*

Guillaume Apollinaire

La mise à la retraite

Je n'ai pas refusé ma tâche sur la terre.
Mon sillon? Le voilà. Ma gerbe? La voici.

J'ai vécu souriant, toujours plus adouci.
Debout, mais incliné du côté du mystère.

Ces quelques vers de Victor Hugo expriment bien les sentiments qui m'animaient le cœur, passé les tornades de ma vie médicale, de mes incursions en politique municipale et ailleurs... Le temps de la sagesse commençait doucement à recouvrir de lumière tout ce que j'avais vécu, semé et récolté, malgré les épines et les douleurs, au cours de toutes ces années où j'avais tenté de servir la cause de la santé et du bien-être de mes concitoyens. Comme le disent de façon si originale les vieux pêcheurs du coin, j'avais tenté, contre vents et marées, «de garder mon *flat* le nez dans la vague».

Maintenant, le passé s'enracinait en moi et l'éternelle vérité des années restantes me chuchotait à l'oreille : «Désormais, il est temps de regarder en toi et de songer à la beauté des heures...»

Retraite... Un simple petit mot qui sonnait étrangement à mes oreilles. Comme si je me demandais si vraiment on peut un jour, tenant compte de sa profession, s'accorder un tel repos bien mérité. Ma réflexion intense m'amena à réfléchir sur ce qu'il est convenu d'appeler aujourd'hui l'âge d'or du retrait des activités professionnelles ou autres. En ce qui me concernait, je préférais utiliser l'expression «troisième saison».

Je savais qu'il était important de préparer soigneusement ce repos du corps et de l'esprit puisque, au cours de ma vie médicale, j'avais discuté maintes fois de telles situations avec mes patients et patientes. J'étais donc très bien placé pour appliquer les mêmes règles, les mêmes principes à ma propre vie. Car, dans la vie d'un retraité, quel facteur est le plus important : le compte en banque bien rempli ou la santé ? Pourquoi un futur retraité mettrait-il plus d'énergie à consulter son banquier ou son comptable qu'à consulter régulièrement son médecin?

Bien sûr, la réalité est parfois tout autre. Pour la grande majorité des gens, beaucoup d'affaires personnelles ne sont pas encore réglées quand sonne l'heure de la retraite ; des problèmes de finance risquent de perturber drôlement le confort de ces années « de repos ». On oublie alors l'essentiel : la condition de sa santé. Mais il est possible de réaliser ces deux réalités — santé et sécurité financière — pour autant que l'on considère que « l'argent ne fait pas le bonheur mais le rend confortable ».

Si je souligne tout cela, c'est que la préparation à la retraite est une étape tellement importante ! Devant toutes les personnes âgées qui ont défilé devant mon cabinet, je sentais bien que ma profession, mes responsabilités, ma compétence, ma connaissance de la vie médicale des personnes du troisième âge me permettaient de plaider en leur faveur pour une foule de conseils de tous ordres, particulièrement au sujet de leur santé, de leurs finances et de leurs amours. Elles mettaient toute leur confiance, leurs secrets de vie, de façon très sérieuse, entre les mains de leur médecin, afin que celui-ci les aide à vivre en santé et à prolonger leur séjour terrestre le plus longtemps possible.

Ainsi, pour répondre à cet appel de confiance sans bornes à mon endroit, je leur conseillais, pour améliorer leur condition de vie, de choisir un endroit de vacances sans risques et à la portée de leur bourse. Je leur suggérais très souvent la Floride comme destination de vacances, à cause du climat, de la chaleur, en vue d'améliorer un état de santé arthritique ou bronchitique ou, carrément, pour les mettre à l'abri des chutes et des fractures possibles s'ils affrontaient les conditions hivernales inclémentes de la Gaspésie.

Dans bien des cas, je conseillais à d'autres personnes moins fortunées un régime de retraite qui tenait compte de leur situation financière, ainsi que les précautions à prendre pour s'assurer des jours heureux et une vieillesse équilibrée. Tous ces gens, en effet, ne pouvaient s'offrir le luxe de vacances au soleil, mais toutes possédaient ce droit à un « troisième âge de bonheur ».

Mon état de santé

Comme le dit un vieux proverbe que je me plais à citer souvent : « Un cordonnier est toujours mal chaussé. » Ce n'était pas facile de conseiller tous ceux et celles qui venaient me consulter. Mais, qu'advenait-il de moi, dans tout ce va-et-vient ? Qu'en était-il de ma propre préparation à la retraite, après tant d'années de labeur ? Il ne m'était pas arrivé souvent de m'arrêter, de m'obliger à faire le vide en moi et de me regarder en face, de me poser franchement la question : « Lionel, quel est ton bilan de santé, toi qui as si souvent donné des conseils que tu aurais dû mettre en pratique toi-même ? »

Parmi mes patients rencontrés à mon cabinet de consultation, je me souviens d'un client qui souffrait de bronchite doublée d'un début d'emphysème pulmonaire. C'était un gros fumeur. Or moi-même, dans le temps, je fumais deux paquets de cigarettes par jour. Et je lui disais qu'il n'y avait aucune guérison possible, dans son cas, s'il n'arrêtait pas de fumer. Il me répondit : « Et vous, docteur, vous n'arrêtez pas ? » Que répondre alors ? « Eh bien, si j'étais malade comme toi, je devrais m'arrêter moi aussi ! »

Un soir que j'étais chez des amis, alors que je venais de griller deux cigarettes de suite, je me suis dit que le temps était venu pour moi d'arrêter de fumer. Il était grand temps que je passe à l'action. Ce furent les deux dernières cigarettes que je fumai. Dès ce moment, je n'y touchai plus jamais. Comme conséquence à toute cette fumée inhalée au cours de ces années, je dus subir une grave opération pour un supposé néoplasme du poumon (tumeur) qui s'avéra finalement n'être qu'un hématome (épanchement sanguin dans une cavité naturelle, consécutif à une rupture des vaisseaux).

À soixante et onze ans, on m'opéra de nouveau pour une péritonite causée par une appendicite rupturée. Plus tard, j'ai combattu une pneumonie associée à un début de tuberculose. Puis, il y a quelques années, on procéda à une dilatation coronarienne, pour résoudre le problème d'une artère qui était bloquée à 85 p. 100. Cependant, Dieu merci, tout va bien maintenant, même si une croyance populaire avait annoncé mon décès prématuré, ce qui avait fait dire à une brave dame âgée de Cap-aux-Os : « Docteur, vous allez vivre jusqu'à cent ans, puisqu'on a annoncé votre décès d'avance!»

Il y eut aussi la nouvelle fort répandue de mon « deuxième décès ». Ce fut une drôle de coïncidence que celle-là. Au cours de mon voyage en Irlande, un certain Rioux, demeurant sur la rue Taft à Miami, en Floride, est décédé. Or, comme je demeurais sur la même rue, ce décès fut annoncé comme le mien par les journaux. Une dame de Gaspé que je connaissais bien téléphona donc chez moi pour savoir si cette nouvelle était exacte.

Ce sont des « aventures » de ce genre, médicales ou non, associées à la fatigue accumulée tout au long de ces années, qui m'incitèrent à « accrocher mes patins ». Car prendre sa retraite, ce n'est pas cesser de vivre mais entreprendre une « troisième voie », personnelle celle-là, où la vie nous suggère de nouvelles approches qui portent les noms de voyages, loisirs, musique, excursions de toutes sortes, autant de moments précieux que j'avais dû si longtemps et si souvent mettre en veilleuse.

Mes voyages

Le moment était venu pour moi d'écouter mes voix et mes élans intérieurs et de profiter pleinement de ces moments de grâce que la vie m'offrait.

Évidemment, avant que je mette à exécution cette volonté ferme d'arrêter de travailler, j'avais eu l'occasion de prendre quelquefois des vacances et de voyager. Déjà, à dix-neuf ans, j'avais eu l'occasion inespérée de faire une tournée en Europe en groupe, puisque j'avais eu le privilège d'assister le directeur du voyage. C'était durant mon cours classique. J'étais alors en belles-lettres.

Ce premier voyage transatlantique s'effectua sur le paquebot *Empress of Britain*. C'était l'année du couronnement du roi George V et celle de l'Exposition universelle de Paris. Je me rappelle un fait extraordinaire rattaché à cette randonnée européenne : au Lido, à Venise, en Italie, j'ai eu l'insigne honneur de rencontrer et de photographier le duc et la duchesse de Windsor, avec lesquels j'ai pu converser. Le duc de Windsor, portant le nom d'Édouard VIII et né en 1894, était l'héritier présomptif du trône d'Angleterre. Il abdiqua en faveur de son frère qui régna sur l'Angleterre, de 1936 à 1952, sous le nom de George VI, le père de l'actuelle reine, Élizabeth II. Tout ça, à cause de la résistance des gouvernements de la Grande-Bretagne et des dominions face à son mariage avec une Américaine divorcée, W. W. Simpson.

Ce n'est qu'après mes quatorze premières années de pratique médicale, à partir des années soixante, que je commençai à prendre des vacances et à effectuer des voyages d'une durée de trois, quatre ou même cinq semaines. Je suis né sous le signe du Sagittaire, un 4 décembre. Or, on sait pertinemment que les personnes nées sous ce signe aiment tout particulièrement voyager. Je suis une preuve vivante que cet énoncé est vrai.

Mon premier voyage touristique de vacances, je l'ai effectué dans les îles de la mer des Caraïbes.

À cette occasion, j'eus l'immense bonheur de visiter neuf îles de ces fameuses destinations touristiques. Je traversai également le Panama, en empruntant, à tour de rôle, le bateau, le train et les voitures-taxis. Ce premier voyage se déroula dans des conditions différentes de celles que l'on connaît aujourd'hui. Mes voyages ultérieurs devaient donc s'effectuer dans de bien meilleures circonstances et de façon tout à fait autre.

Au cours de toutes mes randonnées touristiques, les itinéraires étaient prévus d'avance, ce qui facilitait davantage les visites guidées, surtout lorsque les voyages comportaient un aspect musical, historique ou artistique précis.

Bref, j'ai parcouru les cinq continents. Ajoutons cependant que ma visite de l'Océanie ne se fit qu'en partie seulement. En Ouganda, au Kenya, en Tanzanie, j'ai participé à plusieurs safaris. Quels souvenirs je garde encore de ce continent spécial qu'est l'Afrique, un univers de contrastes et de couleurs si impressionnantes et dont la faune et la flore exotiques nous révèlent toute la magique beauté. Je garde un souvenir particulier d'un parc du Sénégal, de ma fameuse descente en Landrover dans le cratère du Gorangora, là où on retrouve des spécimens de tous les animaux de l'Afrique, ainsi que de mes visites de Madagascar où je me suis perdu en excursion. Mais que dire de l'Inde et surtout du Népal et du Tibet, des pays peu suggérés pour une destination-vacances par les agences de voyage, sinon pour les personnes qui désirent être transportées hors de notre monde, dans un voyage aux siècles antérieurs et dont les mœurs, les croyances, les traditions, la religion bouddhiste nous surprennent beaucoup!

D'ailleurs, le Népal et le Tibet m'offrirent un dépaysement complet. Au Népal, plus précisément à Katmandou, un lieu mystérieux et mystique à la fois, j'ai appris que cette ville située aux pieds des montagnes de l'Himalaya était un haut lieu du bouddhisme.

J'ai aussi visité les îles polynésiennes. Lors de ces vacances à Tahiti, la perle de la Polynésie française, je logeai au Club méditerranée de l'île de Moorea. C'est là que j'ai eu le plaisir de rencontrer et de côtoyer un certain Pierre-Elliot Trudeau, alors ministre fédéral de la Justice dans le cabinet libéral de Lester B. Pearson, ainsi que sa future femme, Margaret Sinclair. Par la suite, comme on le sait, il devint chef de ce parti et premier ministre du Canada. À Papeete, la capitale de Tahiti, j'ai eu l'honneur de faire la connaissance du fils du célèbre peintre Paul Gauguin qui a séjourné et peint ses plus belles toiles sur ces îles enchanteresses.

Puis, je suis passé en Amérique centrale, au Maroc, en Chine, en Russie. Je suis allé à quatre reprises à Hong Kong, la colonie britannique chinoise. Quant à la Scandinavie, c'est une contrée à la beauté farouche, une beauté nordique et hyperboréenne, autant dans sa nature que dans son climat.

Ainsi, ce furent autant de directions et de destinations spécifiques très spéciales, hors des circuits touristiques connus, que j'ai visitées, la plupart du temps en solitaire, surtout celles qui avaient un fort parfum d'aventures.

En revanche, j'ai parcouru aussi un bon nombre de pays, de villes, de régions en compagnie de deux ou trois copains, dont l'un était pompier et l'autre, chauffeur de taxi à Montréal. En Russie, j'ai voyagé avec le docteur Grondin, le médecin cardiologue québécois qui effectua la première greffe du cœur à l'Institut de cardiologie de Montréal. Ensemble, nous avons visité les grandes villes russes ainsi que le célèbre Musée de l'ermitage, à Moscou. Par ailleurs, c'est à Manarès, ville qui exploite le caoutchouc et située sur l'Amazone, au Brésil, que j'ai entendu Emma Lajeunesse, la grande chanteuse d'opéra d'origine canadienne, venue donner une prestation lyrique extraordinaire à la maison d'opéra de cette ville. Encore au Brésil, j'ai effectué la descente du fleuve Amazone en yacht, accompagné d'un guide spécialisé dans la faune et la flore de cet immense cours d'eau. Cette excursion fut une aventure extrêmement enrichissante pour moi.

Lors de mon voyage au Japon, dans la ville de Kyoto, en particulier, j'ai eu l'immense privilège de connaître le vrai visage, les mœurs et les coutumes du peuple japonais, en compagnie du père Pouliot, ancien prisonnier de guerre, qui occupait le poste de professeur de théologie à l'Université de Kyoto. Quel homme extraordinaire, ce père Pouliot!

En Inde, plus particulièrement à Bombay, j'ai eu le grand plaisir de visiter la maison privée du

Mahatma Gandhi, ainsi que ce pur chef-d'œuvre d'architecture hindoue, le fameux palais du Tāj Mahal, encore intact.

J'ai également visité une autre région peu connue : les îles situées à l'est du canal de Panama. Les voyages y sont difficiles à organiser et les traversées, très rares. L'une de ces îles, Cantadora, servit de refuge au shah d'Iran quand il s'exila de son pays en catastrophe. Au cours de cette même excursion, je voyageai sur une rivière de Colombie, dans un canot taillé dans un tronc d'arbre pour y rencontrer une peuplade encore à l'abri de la civilisation et vivant en pleine nature. Ce fut une excursion fort impressionnante.

Je le reconnais aujourd'hui, je fus très privilégié de visiter presque tous les continents. À l'instar de Gilles Vigneault, le barde de Natashquan qui a écrit : « J'aime les voyageries, cela fait passer la vie, j'aime les voyagements, cela fait passer le temps », je me souviens encore de quelques péripéties vécues en pays étranger qui ont eu l'heur de rendre mes « voyageries » fort intéressantes.

* *
*

Après cette première escapade autour du globe, je me suis remis à la pratique médicale, et durant quatorze années consécutives, j'exerçai sans prendre de vacances. Mais, en vieillissant, on devient un peu plus philosophe. La fatigue aidant, le travail harassant de la clinique me submergeait. Je me devais de prendre une décision draconienne et de régulariser cette situation, pour éviter de devoir reporter constamment la date prévue pour des destinations de voyage. Donc, chaque année, seul ou en compagnie de deux ou trois amis fidèles et intimes, aux goûts d'aventures similaires, je me réservais une période de quatre ou cinq semaines pour visiter un coin de la planète. Pendant vingt-cinq ans, j'ai parcouru une bonne partie du globe.

Mais de tous les pays que j'ai visités, c'est la Chine qui m'a le plus impressionné. Elle fut et demeure encore un pays secret, et intéressant à plus d'un point de vue, en médecine surtout. Pour se procurer les papiers nécessaires à l'entrée dans ce pays aux frontières fermées, on invoqua des objectifs professionnels. Je savais qu'organiser un tel voyage serait difficile. Nous étions en 1976, et l'accès du pays n'était pas encore ouvert aux touristes. Sous le « couvert » d'un groupe médical de dix personnes, le voyage s'organisa peu à peu, en passant par l'ambassade de Chine, à Ottawa, et par les services d'une agence de voyages. Pour compléter le nombre de personnes requises, je fis passer deux de mes compagnons de voyage non médecins comme technicien de laboratoire et radiologiste. Quant aux autres, aucun problème : ils étaient tous médecins.

Au cours de ce mémorable voyage, nous avons surtout été reçus dans de grands hôpitaux de Shanghai. Et quelle réception ! Des drapeaux et des enfants habillés de blanc qui chantaient à notre arrivée. N'oublions pas que la Chine avait déjà réalisé de grands bonds en avant dans la science médicale. On me raconta même que les médecins chinois avaient réussi, chez un compatriote, la reconstruction de sa jambe sectionnée par un train. Le corps médical chinois connaissait également le traitement et la médication appropriés pour la destruction de calculs au rein ou de la vésicule biliaire, sans recourir à la chirurgie. Ce phénomène me fut expliqué par un célèbre physicien chinois à l'hôpital de Shanghai.

Entre autres anecdotes, un vieux médecin m'accueillit et me parla en termes élogieux et fort chaleureux du fameux docteur Norman Bethune, ce chirurgien canadien, né en 1890, à Gravenhurst, en Ontario. Après avoir œuvré à Montréal et en Espagne auprès des troupes gouvernementales républicaines, surtout dans le domaine des transfusions sanguines pour les soldats blessés au front, il se rendit en Chine, en 1938. Le pays était alors en guerre contre le Japon. Pendant deux ans, il suivit les troupes communistes chinoises de Mao Tsé-Toung, exerçant la chirurgie en plus de lancer un programme spécifique de formation de médecins chinois. En 1939, au cours d'une intervention chirurgicale, il contracta une infection dont il mourut.

À l'occasion du quarantième anniversaire de la mort de cet homme valeureux, ce vieux médecin chinois de Shanghai nous parla longuement du dévouement du docteur Bethune pour le peuple chinois. Pour lui, ce médecin canadien devait être considéré comme un bienfaiteur de l'humanité, et c'est à ce titre qu'il le citait en exemple à ses étudiants.

Ce fut aussi à cet endroit que j'ai pu observer et photographier une jeune Chinoise, brûlée au troisième degré, qui avait été sauvée par la technique des greffes, grâce à la banque de peau humaine des médecins chinois. Nous étions alors en 1979. J'ai pu assister aussi à des opérations exécutées grâce à la technique de l'acupuncture, en particulier une ablation de la glande thyroïde, où le chirurgien n'avait utilisé que deux aiguilles en des points précis du corps de la patiente pour l'anesthésier. Bref, ce voyage en Chine, avec des séjours à Hong Kong et à Bangkok, en Thaïlande, resta inoubliable : cinq semaines à voyager à travers la région la plus peuplée du monde m'ont laissé dans le cœur des souvenirs ineffaçables.

Mais ce bref rappel de mes voyages autour du monde me fait toujours revenir à mon point de départ, ma Gaspésie. C'est le plus beau et le plus magnifique coin de la province de Québec, avec le parc national Forillon, de plus en plus fréquenté par les touristes, les montagnes altières du territoire nord, les basses terres agricoles de la côte sud, la magnificence de la baie des Chaleurs et de Percé, l'inoubliable merveille.

La musique

Dans son volume intitulé *Vivre la musique*, paru aux éditions Tchou, en 1978, Claude Delarue écrit ceci :

Au fond de nous... sommeillent le rythme et la musique, dans leur nature absolument humaine, absolument noble. Ils résident depuis toujours dans les abîmes de l'être comme un germe, un mysterium *qui concentre toutes les particularités de la pensée et de l'instinct en une véritable union des contraires ; ils existent à l'intérieur des formes, dans le coeur de la matière, faisant vibrer jusqu'à la moindre molé- cule... Mais pour entendre notre musique indivi- duelle — le timbre de notre vraie voix, le rythme de notre vie vivante, celle qui ne se nourrit pas de souvenirs ni d'émotions passées mais qui est perpétuel recommencement — il faut possé- der, à des degrés divers, l'art du silence...* [pa- ges 14-15]

Depuis plusieurs années déjà, l'hôpital Notre- Dame de Montréal a mis la musique au service des malades en engageant même une musicothéra- peute pour en montrer les bienfaits aux usagers de ce centre hospitalier. C'est là une décision épa- tante, puisqu'on commence enfin à reconnaître les vertus thérapeutiques de la musique.

La musique est absolument nécessaire dans la vie de chacun de nous. C'est là une vérité de la Palice, me direz-vous. En ce qui me concerne, elle fut une compagne indispensable dans la poursuite de toutes mes activités professionnelles et dans le vécu de mes malades. Que ce soit dans les hôpi- taux, les salles d'attente des médecins et des den- tistes, la musique douce, apaisante, est bénéfique face à la douleur, à l'hypertension, à la dépression nerveuse, à l'anxiété et au stress. Dans bien des cas, la musique représente le premier pas vers le bien-être et l'amélioration de l'état de santé du patient. Elle a aussi une énorme influence sur tout le système cardiaque et respiratoire, car elle répond à un besoin réel de l'individu en provoquant un relâchement musculaire qui favorise la détente de tout le corps. On pourrait lui attribuer aussi beaucoup d'autres bienfaits dans différentes circonstances. Ses vertus sont donc très nombreuses et absolument bénéfiques à l'être humain.

Mon but, en vous entretenant de musique, n'est pas de disserter savamment sur l'importance qu'elle revêt dans notre vie quotidienne, mais de vous faire part de son efficacité en médecine. En effet, la musique joue un rôle primordial dans le comportement des personnes malades et dans l'apprentissage qu'elles doivent effectuer pour un prompt et parfait retour à la santé. La musicothérapie a prouvé, dans bien des cas, son efficacité indéniable. J'ai rarement entendu quelqu'un se plaindre ou protester contre la musique diffusée dans les salles d'attente des hôpitaux, des médecins, des gens d'affaires ou des centres commerciaux, à condition, bien sûr, qu'elle ne soit pas agressante pour les oreilles. De plus, il convient d'ajouter avec une presque certitude que l'harmonie existerait davantage dans certains foyers, dans les relations de toutes sortes entre les individus, au milieu de la vie matérialiste et individuelle dans laquelle nous sommes plongés présentement, si chacun croyait fermement aux vertus thérapeutiques que la musique peut apporter dans sa vie personnelle.

Pour ma part, j'ai toujours préconisé et insisté sur la place d'honneur de la musique et le rôle qu'elle doit jouer dans la vie quotidienne des individus, non pas seulement en des occasions précises où la musique se confond avec le bruit des bars, des cabarets et des fêtes de toutes sortes, mais aussi dans le calme de sa demeure, là où elle devient douce et favorise la détente et le repos, au retour des activités de travail quotidien, des occupations de la profession. La musique fait alors son apparition, calmante, sereine, pleine de ces vibrations à l'image de nos vies où l'on entend les frissons de la forêt, les sons de contrebasse des vagues au flux étourdissant et les grands coups de cymbales et de galets en cascades. Enfin, tout ce qui bouge et danse, comme autant d'instruments dans l'orchestre de l'univers.

La musique est au cœur de nos émotions, de nos valeurs. Elle les crée et les recrée quotidiennement, en nous invitant à danser, à chanter, à jouer d'un instrument où les sons se perdent en notes et en trilles à l'image des oiseaux à la saison des amours.

Il nous est pratiquement impensable de nous imaginer un peuple sans musique. Au cours de tous ces voyages, notamment en Afrique, j'ai pu constater la grande et importante place qu'elle occupait dans le folklore, les traditions, les mœurs et surtout l'état d'esprit des peuples qui trouvaient dans la musique un dérivatif de classe à leurs misères et à leurs privations. Car la musique n'a pas de frontières, de couleur ou de race. Elle est là, tout simplement. Mes voyages m'ont appris qu'il faut aimer la musique, l'inscrire dans notre folklore, la conserver dans nos traditions et, surtout, ne jamais la laisser toute seule. Elle a besoin qu'on la cajole, qu'on l'écoute raconter nos joies, nos peines, nos bonheurs et nos solitudes.

Mon seul souhait, pour nous Québécois, c'est que notre musique nous nourrisse davantage, en nous rappelant un passé folklorique, un présent où la chanson est reine, où les compositeurs s'en donnent à cœur joie pour manifester notre état d'âme comme peuple. Notre histoire est garante de notre avenir. Laissons la musique voler libre et heureuse, en nous, ailleurs et demain. Elle saura devenir pour nous un art de vivre. Chose certaine, elle sera toujours au rendez-vous de la fête en nous...

Conclusion

Tu es d'abord une créature qui peut tomber malade et qui sera, un jour ou l'autre, frappée d'une affection quelconque. Et alors, du tréfonds de ton être, tu éprouveras le besoin de voir un homme disposant de connaissances techniques particulières et prêt à se comporter comme ton ami. Plus simplement, un bon médecin...

Ce passage écrit par P. Lain Entralgo, dans le volume *Le Médecin et le Malade* (Hachette, 1979), illustre bien les sentiments qui animent mon coeur et mon âme au moment de terminer l'écriture de mes rappels de vie les plus importants relatés dans ce bouquin sans prétentions.

Toute ma vie, j'ai voulu vivre de la façon la plus simple possible, sans désirer aucunement jouer à la vedette paroissiale ou au seigneur de village. Je me suis affirmé, cela est vrai, en diverses occasions, surtout lors de rencontres, de congrès ou d'assistances à des réunions d'associations médicales. Ainsi, j'ai bien humblement tenté de représenter avec dignité, foi et honneur, ma profession médicale, réalisant ainsi l'idéal de ma jeunesse: contribuer à ma façon à bâtir mon coin de pays, la Gaspésie, mon village, Rivière-au-

171

Renard, ce coin de terre si bien ancré dans mes souvenirs, tout en portant bien haut et fièrement l'étendard de la Belle Province, ce si beau et grand territoire, dont l'humus nourricier colle tant à nos souliers...

J'ai tout connu : la vie rude et austère du médecin campagnard, la voiture à cheval, en été comme en hiver, le tombereau, l'autoneige, l'automobile, la médecine pratiquée en clinique privée et les accouchements à domicile, dans des circonstances parfois tragiques, dans un pays sans bon sens mais que j'aime tant. Pour ce faire, dès le départ, j'avais compris que pour aimer, il faut donner. Moi, mon don de vie consista à mettre des enfants au monde, à soulager et à guérir toute une génération qui œuvre, aime, peine et meurt aujourd'hui en terre de Gaspésie et d'ailleurs.

J'ai toujours préconisé les coudées franches durant ma vie active et dans les différents secteurs où j'ai eu à faire des pas et à poser des jalons pour la route à suivre. Tout ne fut pas toujours positif, cela va de soi. Mais qu'importe. En acceptant de déranger, je savais pertinemment que je serais dérangé à mon tour. Ce qui est relaté dans ce livre, c'est l'exposé de mon œuvre médicale et de ses réalisations connexes. Ces souvenirs ne constituent pas des mémoires au vrai sens du terme, mais plutôt une conversation à bâtons rompus, une relation de faits réels et vécus à travers un cumul d'années époustouflantes à exercer une médecine de campagne ouverte à tous vents. Que le lecteur veuille bien me pardonner de le lui rappeler encore, mais ce retour sur mon passé médical n'a pas d'autre but que de lui remettre en mémoire la vie dure et sans pitié de tous ces médecins qui m'ont précédé, qui ont œuvré et vécu des pratiques médicales extraordinaires et incroyables en territoire gaspésien. Ils n'ont laissé que peu de traces de leur passage : aucune note, aucun écrit ni aucune publication, si ce n'est, çà et là, quelques bribes d'archives. Ils ont été carrément oubliés de l'histoire gaspésienne, qu'ils avaient pourtant contribué à bâtir.

Moi non plus, je n'ai pas de mémoire et, sans notes de parcours, les souvenirs sont parfois flous. J'écris affreusement mal et je ne peux me relire parce que je souffre d'une maladie dégénérescente et irréversible des yeux. Je suis un peu aveugle et je ne puis lire qu'avec l'aide d'une loupe ou d'une lentille grossissante. Malgré tout, je crois que j'ai réussi à relater l'important, dans ce fameux livre de vie, et à le faire écrire...

Ce bouquin tente bien humblement de combler ce vide, tant pour les vieux médecins que pour les nouveaux disciples d'Esculape, histoire de leur rappeler gentiment que le pays d'aujourd'hui a une mémoire où une phalange de bâtisseurs ont inscrit leurs noms en lettres d'or. Ces écrits personnels, c'est un don que je dédie à leur mémoire.

Quelle confidence à fleur de cœur me reste t-il à vous livrer maintenant ? Toute ma vie j'ai cherché à aimer, encore plus chaque jour, ma famille, mes amis, ma profession, mes patients et patientes. On a dit de moi que mon caractère me jouait parfois des tours et que mes relations avec mes pairs n'étaient pas toujours faciles. C'est pourquoi j'ai dû apprendre à travailler mon caractère positivement et à le contrôler de la meilleure façon possible. Cependant, un fait primordial demeure indéniable : *ma vie médicale ainsi que la santé de mes patients et patientes demeurèrent toujours la GRANDE PRIORITÉ DE MA VIE, cette voie que j'avais choisie de suivre aveuglément en prononçant le serment d'Hippocrate.* Peu importait mon état de santé, les conditions atmosphériques, sociales ou autres, je me suis dévoué corps et âme pour que mes concitoyens et concitoyennes puissent jouir d'une excellente qualité de vie, dans ce magnifique coin de terre de Gaspésie.

Au cours de ma vie, au hasard de mes lectures, il m'est arrivé de faire miennes plusieurs réflexions ou pensées. En bout de ligne, je constate que je n'ai pas perdu mon temps. J'ai gagné le pari de ma vie. En effet, pourquoi lutter constamment, quand on a la chance de vivre aujourd'hui ? Demain est si aléatoire ! De plus, il ne nous appartient pas. Plus on vieillit, plus on devient conscient de la valeur à accorder au reste de nos jours à vivre. On sent le besoin de se rattacher à quelque chose de sérieux, de se rapprocher encore davantage de sa famille et de ses enfants. Il faut surtout bien se garder de juger, car on peut si facilement se tromper et faire du mal aux autres ! Dans toute vie, je crois, il nous faut connaître notre propre formule, notre propre longueur d'onde, celle qui nous mène sur la route du bonheur.

Sur les sentiers de ma vie, j'ai rencontré l'amour à plusieurs reprises ; je l'ai chanté, je l'ai vécu et je l'ai partagé, parfois dans des eaux calmes, mais aussi au milieu de périodes bouleversantes et tumultueuses de ma vie...

Mais, de toute évidence, l'amour est une réalité quotidienne qu'il faut constamment entretenir. Ce n'est pas possible de vivre sans amour. C'est notre unique raison d'exister, puisque c'est là la plus grande des passions du cœur humain et la formule magique pour une vie plus longue et plus sereine...

À l'aube de mes quatre-vingts ans, je trouve encore la force et la joie d'aimer, de me lever avec le soleil et de rayonner heureux, en regardant la nature. J'ai tant aimé ma profession et les gens que j'ai eu l'honneur de côtoyer, de connaître et d'apprécier! Grâce à eux, qu'ils soient morts ou encore bien vivants aujourd'hui, en me recueillant comme pour une prière, j'ai pu me rappeler cette gerbe de souvenirs épiques que j'offre à tous, en bouquet d'hommage et de gratitude pour tout ce qu'ils m'ont donné. Je les aime tant...

Comme au revoir, en guise d'amitié pour vous, lectrices ou lecteurs de cet ouvrage, je vous laisse en souvenir ce magnifique passage du poète hindou Rabindranath Tagore, extrait de son recueil de poésie, L'Offrande lyrique, paru chez Gallimard, en 1963. À lui seul, il résume toute mon existence ou ce qu'il en reste. Et chaque moment est encore si précieux!...

... Le même fleuve de vie qui court à travers mes veines nuit et jour court à travers le monde et danse en pulsations rythmées.

175

C'est cette même vie qui pousse à travers la poudre de la terre sa joie en innombrables brins d'herbe et éclate en fougueuses vagues de feuilles et de fleurs.

C'est cette même vie que balancent flux et reflux dans l'océan-berceau de la naissance et de la mort.

Je sens mes membres glorifiés au toucher de cette vie universelle. Et je m'enorgueillis, car le grand battement de la vie des âges, c'est dans mon sang qu'il danse en ce moment...

Annexes

Documents cités
en cours de rédaction

Le médecin de campagne
et les cliniques médicales rurales

A DATE, depuis toutes les discussions, les mémoires et les résolutions présentés tant par le Collège des Médecins, les Associations Médicales (A.M.C. et l'A.M.L.F.C.) que le ministère de la Santé, il n'est pas question de reconnaître, de faire valoir le mérite et les avantages des Cliniques ou Hôpitaux privés actuels dans les régions rurales de la pratique médicale et des plans d'Assurance-Hospitalisation cependant, les plans d'assurance privés et gouvernementales entraînent l'hospitalisation. Et les hôpitaux actuels ne peuvent répondre aux besoins et n'ont pas le personnel adéquat. Exemples: L'Hôpital St-Joseph de Rivière-du-Loup, de Gaspé etc. qui sont des hôpitaux régionaux et insuffisants pour le territoire desservi. Pourquoi ne pas perfectionner le fonctionnement de ces hôpitaux, au lieu de les agrandir sans cesse, ce qui est loin de régler les problèmes internes, et pourquoi ne pas établir une meilleure répartition des malades par la multiplication des *hôpitaux ruraux*, intermédiaires des centres urbains et indispensables pour la maternité, les urgences etc., tout en empêchant l'exode des médecins de campagne vers les centres urbains et la spécialisation malgré les demandes croissantes des municipalités rurales pour un médecin?

Il semble que les autorités tant gouvernementales que médicales ne font pas valoir le rôle indispensable qu'un médecin de campagne accomplit dans son territoire par sa compétence, à lui, par son intuition, par sa sagesse, par sa prudence plus que par sa science avec des résultats comparables à toute autre statistique et dans une pratique médicale qui exigerait parfois 3 à 6 médecins pour traiter une famille complète de 8 membres et plus. Or, contrairement à ce qu'on croit trop souvent, le médecin de campagne ne remplit pas un rôle d'avant-garde, d'intermédiaire entre l'hôpital et les médecins de ville ou des spécialistes. (Même que, des gardes-malades, dites de colonies, ont les mêmes droits de pratique que les médecins, ce qui est contraire aux lois). Et on ne sera pas surpris de voir prochainement des gardes-malades, attirées par certains avantages, prendre la place des médecins de campagne si on réalise que ceux-ci, dans les conditions actuelles et futures n'auront plus de raison de pratiquer en campagne; puisque les programmes actuels dirigent et obligent les patients à se faire hospitaliser dans les hôpitaux généraux — système de centralisation alors que la décentralisation de la médecine est la solution proposée dans le présent exposé par la multiplication des hôpitaux de campagne — et pour la conservation tant souhaitée des rapports entre le médecin de famille et ses patients. Et que penser des soins d'urgence et de chirurgie mineure en clinique externe assurés d'après la loi de l'Assurance-Hospitalisation en regard du médecin de campagne? Qu'en retirera-t-il? Que lui restera-t-il dans les conditions actuelles? Encore une autre partie de sa clientèle menacée de diminuer ou de disparaître.

Lors du XVIIe et XVIIIème congrès des Conseils des Comtés, une résolution a été adoptée à l'unanimité par 600 congressistes demandant au gouvernement d'adopter une législation pour créer, consolider et multiplier cesdits hôpitaux ruraux, intermédiaires des centres et qui peuvent répondre à près de 80% des besoins de la population.

Les autorités responsables sont encore inactives sur cette réalisation alors qu'elle est demandée démocratiquement par une des plus importantes organisations du Québec, les maires de toute la province hors des cités.

En face de cet exposé, que contient le mémoire soumis à la Commission Hall en vue de l'adoption d'un plan d'assurance-santé?

Ceci au sujet des médecins de campagne: ils auront accès aux hôpitaux. Ce n'est pas possible ni intéressant pour tous — Bien plus cela ouvre la porte à l'exode des médecins de campagne vers les centres.

Et plus loin: "Pour ceux qui consentent à s'isoler dans les régions éloignées pour rendre service à la communauté, il y aurait lieu d'accorder quelques compensations pécuniaires en reconnaissance de leur dévouement et de leur générosité". Re: Art. 66 du mémoire de l'A.M.L.F.C. et R-8 du mémoire de l'A.M.C. Il s'agira d'exceptions et rien ne sera résolu des problèmes exposés ci-haut. On n'achète pas un médecin et ceux qui demeurent en campagne n'y sont pas pour ces quelques compensations pécuniaires.

179

ANNEXE 1 (suite)

Et dans les discussions du mémoire au Collège des médecins en mars /62 quel a été le résultat du vote sur R-11 et paragraphe 3 ? 13 contre, 4 pour affirmer que les statistiques de "le nombre des spécialistes en obstétrique et gynécologie avec une meilleure distribution de ces derniers." Il faudrait voir ça se réaliser. Depuis quand la spécialisation va résoudre ce problème ? Et qui ira en campagne pour prendre la place du praticien qui s'en viendra alors dans les centres ? — c'est absurde — et c'est dans le mémoire. Bien plus "les hôpitaux privés, à partir de maintenant, ne peuvent recevoir d'octroi" comme l'a déclaré le ministre de la Santé lors de la discussion sur la loi des hôpitaux.

Dans cette même loi, rien ne protège ni ne favorise les hôpitaux privés. Lors de cette discussion, quel gouvernement a pensé à l'existence actuelle et future des hôpitaux privés ? Et si le ministère de la Santé n'est pas en faveur des hôpitaux privés et refuse d'après l'article 3 de la loi des hôpitaux "d'établir, transformer ou agrandir un hôpital", qui prendra la défense des hôpitaux privés ? Le Collège ? des Associations Médicales? l'Association des Hôpitaux privés ? Peut-être. Pourvu qu'une représentation soit faite adéquatement auprès de l'autorité gouvernementale.

Pour résumer, en regard des mémoires, des discussions et des législations, le médecin de campagne se sent isolé encore plus n'ayant que des miettes dans l'élaboration de ces programmes etc. Présentement, il n'est pas encouragé ni protégé. S'il veut se construire, — même à ses frais, un petit hôpital — de maternité principalement, il est à la merci des lois telles celles des hôpitaux et comme il est dit dans le R-11 paragraphe 2 on va même le tenir responsable du taux élevé de mortalité maternelle...

Voilà pourquoi, il est demandé d'établir les bases d'une médecine de campagne en tenant compte de ses besoins, de ses conditions, et tenant compte que les hôpitaux ruraux, organisés d'après une législation spéciale, soient le premier échelon indispensable dans la classification des hôpitaux de la province et qu'ils aient par conséquent droit à la vie — contrairement à ce que pensent un trop grand nombre de responsables tant du côté de la profession médicale que de la politique gouvernementale.

Il est du devoir du Collège d'abord d'exiger, après étude, la mise en application de ce programme pour le médecin de campagne, comme solution à plusieurs problèmes non encore résolus.

Lionel RIOUX, M.D.
Rivière-au-Renard,
Cté Gaspé.

ANNEXE 2

LETTRES ET DOCUMENTS CONCERNANT LA CLINIQUE SAINT-MARTIN

Rivière-au-Renard, Gaspésie
Le 23 novembre 1956

M. Maurice Duplessis
Premier Ministre
Province de Québec

Très Honorable Premier Ministre,

Depuis les cinq dernières années, la situation du médecin de campagne, du médecin de famille s'est grandement transformée. Pour toutes sortes de motifs, le patient se rend au centre hospitalier de la région, ce qui complique grandement l'hébergement et les soins des malades non urgents ou n'ayant pas besoin d'hospitalisation.

Les plans d'assurance maladie... l'assistance publique et l'aide au colon... la Loi sur les accidents du travail... sont des causes de l'hospitalisation même forcée et enlève au médecin de campagne ou de famille ces patients qui autrement continueraient, dans la majorité des cas, à se faire soigner par lui.

Comme autres facteurs favorisant l'hospitalisation au détriment du médecin de campagne, il y a le système de transport favorisé par les routes nouvelles et l'entretien des chemins d'hiver: les conditions de vie à domicile sont modifiées, le confort et le repos sont recherchés en temps de maladie, surtout quand ces mêmes patients bénéficient d'avantages pécuniaires s'ils sont hospitalisés dans un hôpital reconnu par les autorités intéressées.

Or, la création d'hôpitaux ruraux intermédiaires des centres hospitaliers, mais n'exécutant pas de grande chirurgie, apporterait une solution au problème actuel de l'encombrement des centres.

Un hôpital privé sous les soins d'un médecin compétent, aidé des gardes-malades selon les besoins, serait d'abord un centre de maternité; il serait aussi aménagé pour les cas de petite chirurgie et comme avant-poste pour le dépistage précoce des maladies de cœur, du cancer et de la tuberculose principalement avec les appareils nécessaires à cette fin.

Rivière-au-Renard, par sa situation côtière, répond expressément à tous ces besoins et à cette condition ci-haut mentionnée que je me suis fixé comme objectif: un hôpital de vingt lits comme début, avec possibilité d'agrandissement plus tard serait nécessaire. Six à huit lits seraient mis à la disposition de l'Assistance publique pour que cet hôpital bénéficie de tous les avantages possibles d'aide financière.

Je vous soumets cet exposé, monsieur le Premier Ministre, avec la certitude que vous apporterez une solution avantageuse à ce problème urgent du médecin de famille et de campagne, et que ma demande sera favorisée dans un avenir très prochain.

Veuillez agréer l'expression de mes sentiments les plus distingués.

ANNEXE 2 (suite)

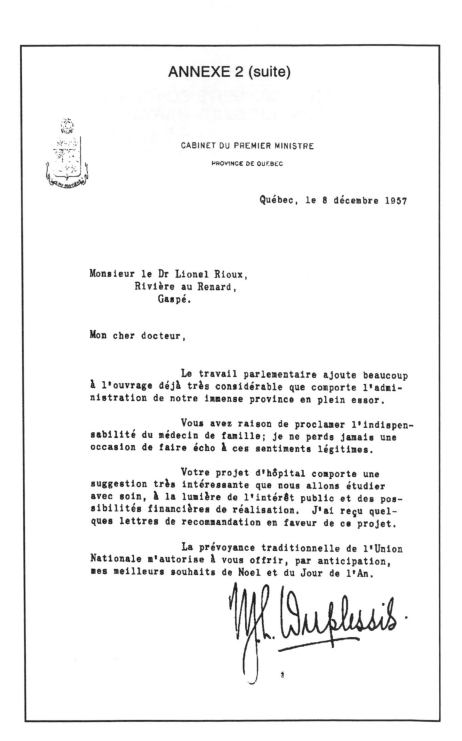

CABINET DU PREMIER MINISTRE

PROVINCE DE QUEBEC

Québec, le 8 décembre 1957

Monsieur le Dr Lionel Rioux,
    Rivière au Renard,
    Gaspé.

Mon cher docteur,

Le travail parlementaire ajoute beaucoup
à l'ouvrage déjà très considérable que comporte l'administration de notre immense province en plein essor.

Vous avez raison de proclamer l'indispen-
sabilité du médecin de famille; je ne perds jamais une
occasion de faire écho à ces sentiments légitimes.

Votre projet d'hôpital comporte une
suggestion très intéressante que nous allons étudier
avec soin, à la lumière de l'intérêt public et des possibilités financières de réalisation. J'ai reçu quelques lettres de recommandation en faveur de ce projet.

La prévoyance traditionnelle de l'Union
Nationale m'autorise à vous offrir, par anticipation,
mes meilleurs souhaits de Noel et du Jour de l'An.

M.L. Duplessis

ANNEXE 2 (suite)

CABINET DU PREMIER MINISTRE

PROVINCE DE QUÉBEC

Le 13 décembre 1963

Dr Lionel Rioux
Rivière-au-Renard
Comté de Gaspé-Sud, P.Q.

Cher Docteur,

     L'honorable Jean Lesage, après avoir pris connaissance de votre lettre du 6 décembre ainsi que de votre "Plaidoyer en faveur du médecin de campagne et des hôpitaux ruraux", m'a chargé d'en faire part à son collègue du ministère de la Santé, l'honorable Alphonse Couturier.

     Veuillez agréer, Cher Docteur, l'expression de mes meilleurs sentiments.

Le Chef adjoint
du Cabinet du Premier ministre,

(René ARTHUR)

ANNEXE 2 (suite)

PROVINCE DE QUÉBEC
MINISTÈRE DE LA SANTE

QUEBEC, le 16 décembre 1963.

Docteur L. Rioux
Rivière au Renard
Cté Gaspé, P. Q.

Cher docteur,

J' ai bien reçu votre lettre du 6 décembre et l' article que vous avez bien voulu m' envoyer concernant le plaidoyer en faveur du médecin de campagne.

Laissez-moi vous dire que j' ai été vivement intéressé par votre article puisque moi-même j' ai exercé cette profession de médecin de campagne. J' en connais donc les grandeurs et les vicissitudes; cependant, il est assez difficile de tout vouloir moderniser en un clin d' oeil l' évolution de toutes les professions qui se fait toujours d' une façon progressive. On ne peut en faire autrement en ce qui concerne les médecins de campagne.

Avec mes félicitations, veuillez recevoir l' assurance de mes bons sentiments et mes meilleurs voeux pour la Nouvelle Année.

Alphonse Couturier, m.d.
Ministre

ANNEXE 2 (suite)

PROVINCE DE QUEBEC

MINISTERE DE LA SANTE

RECOMMANDE

Québec, le 4 décembre 1970.

Clinique St-Martin
Rivière-au-Renard
Cté Gaspé.

Attention: Monsieur le docteur Lionel Rioux

Cher monsieur,

     Vous avez été informé que le permis d'exploitation
de l'Hôpital Clinique St-Martin, dont vous êtes le propriétaire,
ne sera pas renouvelé pour l'année 1971.

     Or, l'article 332 des règlements adoptés en vertu
de la Loi des hôpitaux stipule que lorsqu'un hôpital cesse d'opérer,
les dossiers médicaux de tel hôpital sont déposés chez le ministre.

     Pour ce faire, un officier de mon ministère, monsieur
Eddy Rainville, se rendra à la Clinique St-Martin dans les prochains
jours afin de prendre les arrangements nécessaires.

     Comptant sur votre collaboration habituelle, je vous
prie d'agréer, cher monsieur, l'expression de mes meilleurs sentiments.

Claude Castonguay
Ministre.

185

ANNEXE 2 (suite)

Alphonse Raymond Garneau
B. A., B. C. L.
Avocat et Procureur - Barrister & Solicitor
Gaspé, Qué.

Le 3 novembre 1958.

Docteur Lionel Rioux,
Rivière-au-Renard, Que.

Cher Docteur,

RE: L'Hôpital de St-Martin de Rivière-au-Renard.

Le département du Procureur Général m'informe qu'un rapport favorable a été fait en date du 30 octobre 1958, et le dossier est maintenant transmis au Secrétaire de la Province, pour la rédaction et l'émission des lettres patentes.

Ceci veut dire que l'Hôpital St-Martin de Rivière-au-Renard deviendra une réalité au point de vue juridique.

Il faudra que je rédige les règlements, procès-verbaux, prépare un règlement bancaire etc, etc.

Il faut un livre de minutes, un sceau, et tenir les assemblées préliminaires afin de compléter l'organisation légale de la société.

Veuillez me laisser savoir si je dois procéder à ce travail et me faire parvenir une somme de $100.00 en acompte.

Cette somme vous sera remboursée lorsque l'hôpital aura des fonds en caisse.

J'espère que vous trouverez le tout à votre entière satisfaction, et je vous prie de me croire.

Votre tout dévoué,

A. R. Garneau

ARG/amj

186

ANNEXE 2 (suite)

A tous ceux que les présentes lettres concerneront ou qui les verront,

SALUT:

Lettres patentes
constituant en corporation

L'HOPITAL ST-MARTIN DE RIVIERE-AU-RENARD"

ATTENDU que la troisième partie de la loi des compagnies de Québec, statue que le lieutenant-gouverneur peut, au moyen de lettres patentes expédiées sous le grand sceau, accorder à trois personnes ou plus qui en font la demande par requête, une charte les constituant en corporation sans intention de faire un gain pécuniaire, dans un but national, patriotique, religieux, philanthropique, charitable, scientifique, artistique, social, professionnel, athlétique ou sportif ou autre du même genre;

ATTENDU que les personnes ci-après désignées ont demandé par requête une charte qui les constitue en corporation pour les objets ci-après décrits;

ATTENDU que les dites personnes ont rempli les formalités prescrites pour l'obtention de la charte demandée, et que les objets de l'entreprise de la corporation projetée sont de ceux pour lesquels le lieutenant-gouverneur peut accorder une charte en vertu des dispositions de la troisième partie de la loi des compagnies de Québec;

Enregistrées le
6 novembre 1958
Libro 320
Folio 277

Le sous-registraire de la province

A CES CAUSES, Nous avons, en vertu des pouvoirs qui Nous sont conférés par ladite troisième partie de la loi des compagnies de Québec, constitué et, par les présentes lettres patentes, constituons en corporation les personnes suivantes, savoir:

J. André Plourde, gérant de banque, John A. Brochet, commerçant, Lionel Rioux, médecin, Fernand Rioux, hôtelier, tous de Rivière-au-Renard, - - - - - - - - - - - - - - - - - - -

ainsi que les autres personnes qui sont ou deviendront membres de la corporation, et ce pour les objets suivants:

187

ANNEXE 2 (suite)

Etablir, maintenir et administrer un ou des hopitaux avec services de médecine, de chirurgie, d'obstétrique, de puériculture et
de pharmacie, dispensaires, laboratoires et notamment le maintien
et l'administration d'un centre médical et hospitalier pour les
soins d'urgence et de petite chirurgie, le dépistage du cancer, de
la tuberculose, de la maladie de coeur; - - - - - - - - -   -

Acquérir, posséder, exploiter, vendre, gager, hypothéquer ou
autrement aliéner ou engager toutes propriétés mobilières et immo-
bilières et tous droits, privilèges, actions et intérêts dans d'autres sociétés ou compagnies que la corporation trouvera nécessaires
ou utiles à l'exercice des fins ci-dessus. - - - - -   - -

ANNEXE 2 (suite)

Le nom de la corporation est

"L'HOPITAL ST-MARTIN DE RIVIERE-AU-RENARD"

La principale place d'affaires de ladite corporation sera à Rivière-au-Renard, dans le district de Gaspé, - - - - - - - - - - - - - - dans notre province.

Le montant auquel sont limités les revenus annuels des biens mobiliers et immobiliers que la corporation peut posséder est de cent mille dollars ($100.00). - - - - - - - - - -

Sont nommées directeurs provisoires de la corporation les personnes suivantes, savoir: Tous les requérants.

EN FOI DE QUOI, Nous avons fait rendre Nos présentes lettres patentes et sur icelles apposer le grand sceau de Notre dite province de Québec; Témoin: Notre très fidèle et bien-aimé l'Honorable ONESIME GAGNON, C.P., C.R., Lieutenant-gouverneur de la province de Québec, représenté par M. L. Désilets, conformément à l'article 2, chapitre 276, S.R.Q. 1941.

Donné en Notre hôtel du gouvernement, à Québec, ce trentième - - - - jour d'octobre- - -l'an de grâce mil neuf cent cinquante - huit - - et de Notre Règne le septième.

Par ordre,

Le Sous-secrétaire de la Province

189

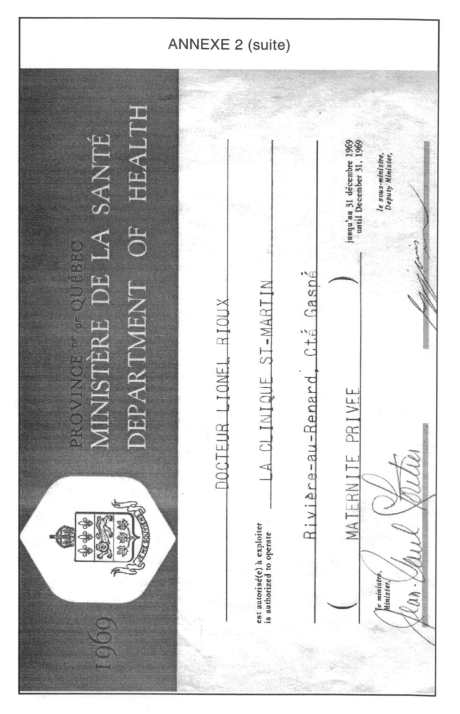

PROVINCE DE/OF QUÉBEC
MINISTÈRE DE LA SANTÉ
DEPARTMENT OF HEALTH

1969

DOCTEUR LIONEL RIOUX

est autorisé(e) à exploiter
is authorized to operate

LA CLINIQUE ST-MARTIN

Rivière-au-Renard, Cté Gaspé

MATERNITE PRIVEE

jusqu'au 31 décembre 1969
until December 31, 1969

le ministre,
Minister,

le sous-ministre,
Deputy Minister,

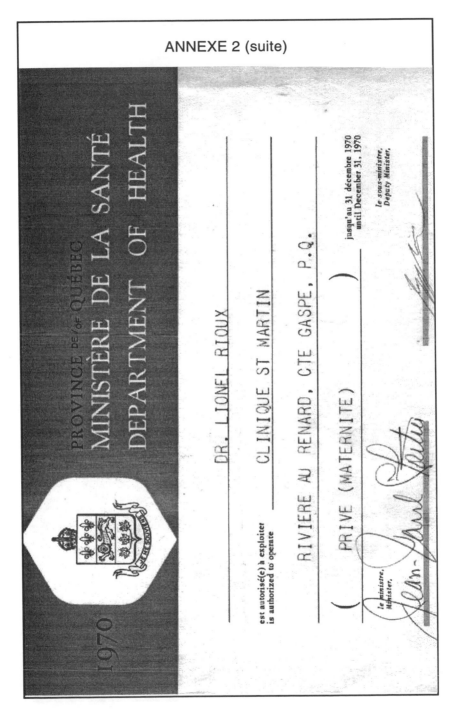

PROVINCE DE (OF) QUÉBEC

MINISTÈRE DE LA SANTÉ
DEPARTMENT OF HEALTH

1970

DR. LIONEL RIOUX

est autorisé(e) à exploiter   CLINIQUE ST MARTIN
is authorized to operate

RIVIERE AU RENARD, CTE GASPE, P.Q.

PRIVE (MATERNITE)

jusqu'au 31 décembre 1970
until December 31, 1970

le ministre,
Minister,

le sous-ministre,
Deputy Minister,

ANNEXE 3

RÉSOLUTION

Au cours de l'année 1961, le service social diocésain a contribué, pour sa part à la société indigente, la somme astronomique de 2 223 448 $, ce qui n'inclut pas les pensions gouvernementales de toutes sortes pour cette même population. Et, de plus, il en est de même pour chaque autre diocèse.

Or, on peut prouver que, peut-être, la moitié de ce montant a été accordée aux familles, beaucoup plus parce que le père n'avait pas de gagne-pain, que parce qu'il était inapte à l'ouvrage, comme le démontre la preuve citée ci-après.

RÉSOLUTION:

Que la moitié ou plus des montants distribués par les services sociaux diocésains soit distribuée en budgets municipaux, au prorata des populations rurales, d'après un comité formé à cette fin et d'après des règlements comme ceux des travaux de chômage d'hiver.

Ainsi, les municipalités seront en mesure de fournir à leurs chômeurs des travaux, l'année durant. Et nous éviterons le sort réservé à une partie de notre population de devenir des inaptes à l'ouvrage, des insolvables et des endettés de toutes parts.

Il est reconnu et généralisé qu'un père de famille, à cause de la situation économique régionale, devient chômeur par la force des choses et une cible de choix des maladies psychosomatiques reliées à l'inquiétude engendrée par de telles situations. Elles ne lui donnent pas le choix. Il doit s'adresser au service social de son diocèse. Avec une formule de certificat médical, il va voir son médecin. En face de toutes ces demandes, le médecin n'a pas d'autre choix que d'obtenir la confession de ces gens, pour justifier les obligations, les devoirs et les conséquences de la signature qu'il va apposer sur un tel certificat.

Et voilà, le nombre de chômeurs augmente et, par conséquent, l'augmentation des inaptes à l'ouvrage pour l'avenir. De chômeur qu'il était, le voilà à la charge de l'assistance sociale et encore sans revenu suffisant pour vivre. S'il est secouru durant plusieurs mois par le service social, on transfère son cas à l'assistance sociale du gouvernement, qui lui fait subir une série d'examens médicaux pour enfin l'éliminer de la catégorie des invalides ou inaptes à l'ouvrage et on le prie de s'inscrire à l'assistance chômage. Le nombre des examens de pension a triplé depuis l'an dernier, si l'on en juge par les examens que le médecin mandaté pour cette tâche fait subir.

RÉSOLUTION

En ce qui regarde la Gaspésie, le chômage est sérieux car un grand nombre doit s'exiler, quitter sa famille pour se rendre surtout sur les chantiers forestiers de la Côte-Nord. Et il faut connaître le sort des familles ainsi privées de la présence du père pour des périodes variant entre trois et cinq mois par année. Par ailleurs, un certain nombre ne peut plus s'expatrier ainsi comme par le passé. Et, comme l'assistance chômage est temporaire et insuffisante, voilà pourquoi le recours à l'assistance sociale est tant demandé et, forcément, en invoquant une raison de maladie pour obtenir cette assistance.

Les travaux de chômage d'hiver sont une excellente solution pour les municipalités qui peuvent y recourir, mais, dans certains cas, la part municipale est prohibitive pour certains travaux. En Gaspésie, le chômage n'est pas saisonnier, car tout le monde ne gagne pas sa vie à la pêche et les chantiers sont presque disparus sur la Côte-Nord.

D'après les calculs faits, une partie de l'argent ainsi réparti fournirait aux municipalités des budgets variant entre 25 000 $ à 100 000 $ par année. C'est incroyable ce que chacune des municipalités pourrait réaliser dans l'exécution de travaux de voirie, de colonisation, d'agriculture, etc. L'initiative des municipalités serait favorisée, développée, et on reconnaîtrait non seulement son autorité mais aussi ses pouvoirs, en solutionnant, par le fait même, une partie du problème de financement des municipalités, en créant une sorte d'indépendance financière, puisque celles-ci n'auraient pas besoin de recourir à l'État.

C'est la prospérité et le développement des municipalités rurales qui feront la grandeur et la prospérité de la Province.

Il est entendu que cette résolution est en marge de la Conférence des gouvernements provinciaux tenue cet été à Victoria et qui a réclamé du travail pour les gens valides avant de recourir à une assistance sociale.

ANNEXE 4

Claude-Henri Grignon

Sainte-Adèle,
le 18 juillet 1966.

au docteur Lionel Rioux,
Rivière-aux-Renards,
Province de Québec.

Mon cher Lionel,

Je t'ai écrit au cours de mon voyage en Gaspésie pour te remercier de ta généreuse réception. Je le fais de nouveau aujourd'hui. J'en garderai longtemps un précieux souvenir.

Après avoir franchi quinze cents milles, Côte sud et Côte nord, je suis arrivé chez moi, le 12 juillet dernier, passablement fourbu.

Tu peux croire que je ne reviens pas les mains vides. Je veux dire: l'esprit et le coeur.

De grâce, tâche de venir nous voir. D'ici là, embrasse tes filles adorables et avec mes hommages à ta femme, je t'offre la griffe du vieux Lion.

(Claude-Henri Grignon).

ANNEXE 5

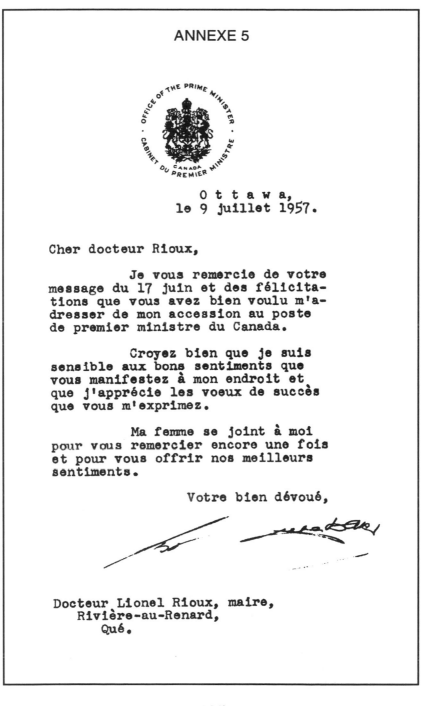

Ottawa,
le 9 juillet 1957.

Cher docteur Rioux,

Je vous remercie de votre
message du 17 juin et des félicitations que vous avez bien voulu m'a-
dresser de mon accession au poste
de premier ministre du Canada.

Croyez bien que je suis
sensible aux bons sentiments que
vous manifestez à mon endroit et
que j'apprécie les voeux de succès
que vous m'exprimez.

Ma femme se joint à moi
pour vous remercier encore une fois
et pour vous offrir nos meilleurs
sentiments.

Votre bien dévoué,

Docteur Lionel Rioux, maire,
Rivière-au-Renard,
Qué.